D1243052

50 recettes
BRASSERIES
La mémoire de Paris

L'intitulé des recettes est celui qui nous a été fourni par les brasseries, que l'éditeur remercie ici.

Ouvrage conçu et réalisé par Elsa Hallak.

BP 177 – 38008 Grenoble Cedex

Dépôt légal : avril 2009
ISBN 978-2-7234-6608-0
Achevé d'imprimer en France par Pollina en mars 2009 - L49994.

Jean-Marie Boëlle
Jean Cazals

Glénat

Sommaire

BRASSERIES

Les éprouvettes du plaisir

MUNICH SÈME LES MUSÉES comme le Petit Poucet les cailloux, du *Deutsches Museum* au *Bayerisches Nationalmuseum* et de la *Alte Pinakothek* à la *Neue Pinakothek*. Sans doute faudrait-il ajouter à une liste aussi longue que prestigieuse la *Hofbräuhaus*. La plus célèbre brasserie du monde, qui est aussi la première du genre, est considérée comme une véritable institution, dans la ville même comme dans toute la Bavière. Créée en 1589, elle constitue, à sa manière, un musée bien vivant de 3600 places qui, bon an mal an, accueille trois millions de visiteurs. Les jours de pointe, s'y entrecroisent, chope à la main et rouge aux joues, plusieurs dizaines de milliers de consommateurs ! Cette pionnière a ouvert la voie à un style de restauration dont le succès ne s'est jamais démenti depuis, en Europe et même dans le monde entier. La France a mis un certain temps à adopter son joyeux modèle, d'ailleurs vite oublié au profit de vertus plus hexagonales. Certes, dès le XVIe siècle, une poignée de caboulots parisiens arrosaient déjà de bière quelques plats alsaciens plus ou moins authentiques, mais bien peu de monde les fréquentait.

Dans notre pays, c'est à la fin du XVIIIe siècle que se multiplièrent les restaurants, tandis que s'estompaient les fourneaux domestiques et les fêtes

Si la brasserie pratique encore la restauration rapide, elle se caractérise aussi par une cuisine de plus en plus soignée, souvent traditionnelle.

PRIX CAZES – BRA
2008
Fayard

gastronomiques privées chers à l'Ancien Régime. Brillat-Savarin, le fameux auteur de *la Physiologie du goût,* insiste sur le développement et le perfectionnement que connurent alors « toutes les professions dont le résultat est de préparer ou de vendre les aliments, tels que cuisiniers, traiteurs, pâtissiers, confiseurs, magasins de comestibles et autres pareils ».

Tandis que s'épanouit le XIXe siècle, les Parisiens prennent de plus en plus l'habitude de sortir pour se restaurer. Il y a dans l'air une boulimie de curiosité, une frénésie de bonheur. Tout spectacle devient le prétexte d'un souper ou d'un dîner. Le rideau se lève sur tous les plaisirs. Jamais plus il ne s'abaissera. Naît une belle et longue histoire d'amour entre le théâtre et le café, le restaurant ou le bouillon, dont les scènes s'épousent, les rites se confondent et les horaires s'ajustent. Dans ce changement d'habitudes, qui va de pair avec un glissement sociologique et un bouleversement économique, la brasserie se taille la part du lion à partir de 1870, avec l'arrivée à Paris de nombreux aubergistes réfugiés d'Alsace-Lorraine. Si la boussole du bougnat indique le centre de la France, celle du brasseur en pointe l'est. La sévère définition officielle de cet établissement pas comme les autres, « lieu où l'on sert des boissons et des repas froids ou préparés rapidement », devient vite obsolète. Héritier d'un ensemble de courants sociaux, politiques

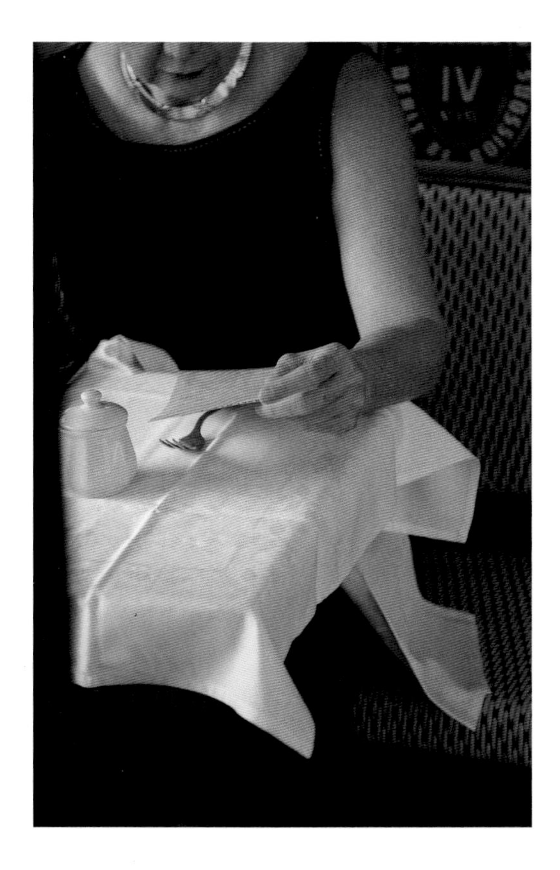

Entre cuivres rutilants et nappes en tissu, les serveurs restent fidèles à leur tenue en noir et blanc, l'une des spécificités de la brasserie.

et culturels, le modèle français de la brasserie est unique au monde et difficilement exportable. Il apparaît indissociable des courants artistiques, décoratifs et architecturaux qui se succèdent, Art nouveau à l'aube du XXe siècle, Art déco pendant l'entre-deux-guerres. Autant de brillants témoins du rejet de l'académisme. Cette passion pour le modernisme s'exprime notamment par le choix systématique de matériaux comme le verre, la pâte de verre, le cuivre, le bois massif, la mosaïque et la faïence, mais aussi par le recours quasiment obligé à des motifs décoratifs d'inspiration florale et végétale. Naît une chimie particulière de la gourmandise dans un univers à la fois luxueux et poétique que fait danser une profusion de miroirs et qu'animent des conversations souvent partagées d'une table à l'autre.

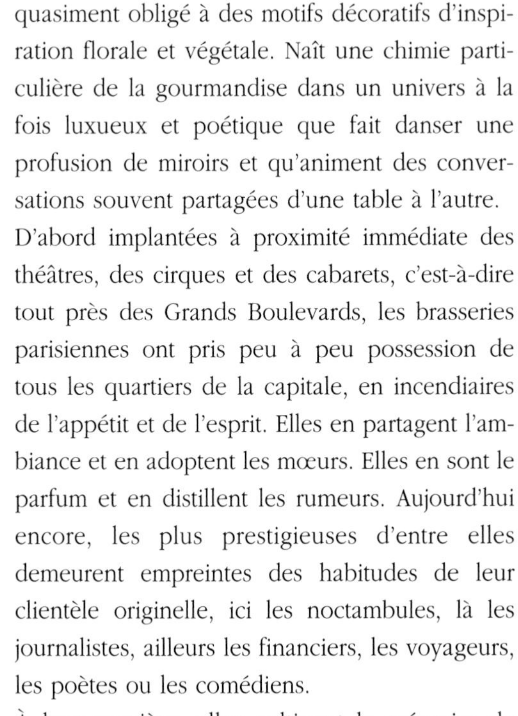

D'abord implantées à proximité immédiate des théâtres, des cirques et des cabarets, c'est-à-dire tout près des Grands Boulevards, les brasseries parisiennes ont pris peu à peu possession de tous les quartiers de la capitale, en incendiaires de l'appétit et de l'esprit. Elles en partagent l'ambiance et en adoptent les mœurs. Elles en sont le parfum et en distillent les rumeurs. Aujourd'hui encore, les plus prestigieuses d'entre elles demeurent empreintes des habitudes de leur clientèle originelle, ici les noctambules, là les journalistes, ailleurs les financiers, les voyageurs, les poètes ou les comédiens.

À leur manière, elles cultivent la mémoire de Paris, écrite à mots feutrés sur leurs murs comme sur leurs tables, et dont elles reflètent à merveille l'imaginaire. Entre coups de gueule et coups de feu, les itinéraires qu'elles y tracent racontent avec verve la petite histoire de la grande ville, de plafonds chamarrés en cuivres astiqués, d'atmosphères joyeuses en recettes secrètes. Voici leurs clés.

Les garçons virevoltent
entre les tables
de ces brasseries mythiques
dont la noblesse s'exprime jusque
dans leur brouhaha salvateur.

2760

Au Petit Riche

Viens voir les comédiens

FRAIS ET GOULEYANTS, les vins rouges de Chinon, Bourgueil et Saint-Nicolas-de-Bourgueil, dont le nez évoque la pierre chauffée au soleil, sont souvent remarquables. La cave du *Petit Riche* les enferme en nombre depuis 1880. Cette année-là, un certain Besnard, propriétaire de l'établissement, décide de promouvoir les vignobles de la région dont il est originaire : le Val de Loire. Grâce à lui, le *Petit Riche* apparaît bientôt comme une véritable ambassade parisienne de ces vins au bouquet de violette ou de framboise, légers et faciles à boire, et qui, malgré leur caractère juvénile, peuvent vieillir aussi bien que de bons bordeaux. Près de cent trente ans plus tard, l'adresse demeure fidèle aux crus issus des coteaux du plus long fleuve de France. Une longue histoire d'amour. Celle du *Petit Riche* est encore plus ancienne.

Elle commence indirectement en 1804, à l'angle de la rue Le Peletier et du boulevard des Italiens, à l'enseigne du *Café Riche*, le bien nommé. Pendant plusieurs décennies, le restaurant comptera parmi les plus renommés de la capitale. À ses acajous, ses marbres, ses bronzes, ses onyx, ses velours, répondent des additions vertigineuses. Dans le genre luxueux, il n'a qu'un seul véritable concurrent : le *Café Hardy*, son voisin des boulevards. D'où le jeu de mots célèbre à l'époque : « Il faut être bien riche pour dîner chez *Hardy* et bien hardi pour dîner chez *Riche* ». De la Monarchie de Juillet au second Empire se succèdent les régimes à la tête du pays, tandis que l'établissement, au-dessus de la mêlée, ne fait que croître et prospérer. Dans ses quatre salons et ses quatre cabinets, il accumule meubles précieux, linges fins, rideaux brodés, porcelaines à filet doré, couverts en argent. En 1867, le littérateur et auteur dramatique Auguste Luchet dit de lui : « Tout s'y tient de beauté et de bonté. Premières matières, premières façons, premiers artistes. C'est le fonds de Paris qui a coûté le plus cher, et il vaut aujourd'hui plus qu'il n'a coûté. Près d'un million, pourtant ! » Ses cuisines, toutes de casseroles en cuivre, poissonnières façon poupées russes, légions de passoires et de sautoirs, bains-marie, braisières et broches, sont immenses ; on n'y dénombre pas moins de trois chaudrons et de onze marmites, autour desquels s'agitent une cohorte de cuisiniers et une nuée de marmitons. Les mets sont raffinés et participent largement à la réputation gastronomique que Paris acquiert

Comme l'indique son enseigne, le *Petit Riche* accueillit d'abord des hôtes assez peu argentés, avant de drainer une clientèle plus aisée.

AU PETIT RICHE
POUILLY-FUMÉ
Chinon · Bourgueil

à travers le monde ; les arrosent les plus grands vins de France, notamment de somptueux bourgognes, et quelques crus étrangers prestigieux, qui viennent d'Italie, d'Allemagne ou du Portugal.

On ne prête qu'au Riche

De Balzac à Barbey d'Aurevilly, les grands écrivains d'alors se mêlent aux banquiers, aux hommes politiques, aux acteurs, et, eux aussi, fréquentent assidûment la maison. Leur estomac reconnaissant les encourage à l'évoquer dans leurs œuvres respectives. Le succès du *Café Riche* et ses tumultes de fête suscitent les vocations et attisent les convoitises. En 1854, un dénommé Chansart ouvre un restaurant à deux pas, à l'angle des rues Le Peletier et Rossini. Il le baptise, non sans humour, le *Petit Riche*, et y reçoit une clientèle beaucoup plus modeste que celle de son grand aîné : celle des cochers, des machinistes de l'Opéra, des grisettes et des gratte-papier des banques. Si cette promiscuité teintée de provocation amuse le bourgeois, elle déchaîne les foudres du destin. En 1873, l'incendie qui dure une journée et embrase tout le quartier réduit le *Petit Riche* en cendres. Fin du premier acte.

Dans son cadre feutré, la maison reste fidèle à son amour originel pour les vins de Loire, et, en la matière, sa cave abrite de véritables trésors.

Entre alors en scène Besnard, qu'animent des passions vouvrillonnes. Il reconstruit l'établissement, dont il conserve l'enseigne. Paradoxalement, elle survivra de beaucoup à celle du *Café Riche* : l'adresse disparaîtra définitivement en 1916. Maigre consolation : son patron, Louis Bignon, sera le premier restaurateur français à recevoir la Légion d'honneur.

Voici donc le sieur Besnard à pied d'œuvre, avec, sous la semelle, une cave emplie de ses bouteilles préférées. Très vite, elles vont mettre les Parisiens de bonne humeur. Le cadre qu'il choisit pour son *Petit Riche* à lui est arrivé jusqu'à nous. Reconnaissons que notre homme ne manquait pas de goût, ni d'ailleurs d'ambition. En 1920, il ajoutera quarante couverts à la maison, devenue prospère, en rachetant les anciennes écuries de M. de Rotschild, situées au numéro 19 de la rue Rossini. Quelques décennies plus tard, l'un des plus fidèles clients de l'établissement sera Georges Pompidou, futur successeur du général de Gaulle à la présidence de la République française, et alors fondé de pouvoir du célèbre banquier.

Très dans l'esprit de l'époque, la façade du *Petit Riche*, percée d'ouvertures hautes et étroites, est recouverte de bois sombre, discrètement mouluré. En lettres d'or y sont inscrits les grands crus du pays de Loire. Sur ses vitres sont gravés à l'acide

des rideaux en trompe l'œil, qui permettent à la clientèle de conserver un certain incognito, et, le temps du repas, d'oublier les va-et-vient incessants de la Salle des ventes toute proche. L'espace intérieur se divise en de nombreux salons en enfilade, véritable labyrinthe compliqué et démultiplié par le jeu des miroirs, encadrés d'acajou et soulignés par des porte-chapeaux en cuivre. La plus vaste salle à manger occupe le fond de l'établissement, et, à partir du bar, situé à l'entrée, il faut franchir bien des dédales avant de la rejoindre. Entre son plafond haut, son lustre opulent, ses lourds rideaux brodés d'or, elle déploie une certaine majesté. Tous les jours, elle met ses habits du dimanche, mais, sur ses murs, des affiches de caricaturistes font la nique à des tableaux anciens, et, soudain, rompent la solennité du lieu. Les brasseries ne restent jamais sérieuses très longtemps, et le *Petit Riche* n'échappe pas à la règle. Comme les autres, la maison a le parti pris du rire. Habitué du lieu, le comédien Michel Galabru se charge d'ailleurs, à chacun de ses passages, de la transformer en théâtre aussi pétillant qu'improvisé, avec la joie de vivre et le talent qu'on lui connaît.

Sur les pas de Maurice Chevalier

Ici, il ne faut pas hésiter à baisser les yeux, d'abord pour trouver son chemin, mais surtout pour admirer les sols à motifs géométriques, dont

Si commissaires-priseurs et financiers ont ici leurs habitudes, comédiens et écrivains connaissent aussi le chemin du *Petit Riche*.

les petits carreaux de mosaïque, qu'on dirait échappés d'une villa romaine, ont triomphé du pas pesant de tant de générations de gastronomes. Les banquettes en velours pourpre et à dossier droit ou ovale répondent à des chaises de bistrot à assise replète. Les tables qu'elles encadrent sont drapées de nappes blanches qui accueillent une jolie verrerie ne demandant qu'à se teinter de toutes les nuances de rouge et de blanc des vins de Loire. Il émane du *Petit Riche* cette force tranquille si caractéristique des bons restaurants provinciaux, à mi-chemin du repas de communion, de la rencontre d'affaires et de la veillée au coin de l'âtre.

Dans cette enclave parisienne de l'une des plus douces régions de France, on déguste, à la musique revigorante du saumur-champigny et du vouvray, une cuisine résolument traditionnelle. Elle prend la forme de la terrine de canard, des œufs cocotte, de la salade de foies de volaille, du rognon de veau à la moutarde, du saucisson chaud pistaché de Lyon, du pavé de viande rouge poêlé et son jus de foie gras, de la charlotte aux poires. Le chef, qui ne manque ni d'expérience ni de talent, y ajoute des mets plus contemporains, comme le bar au fenouil, le thon frais mi-cuit et son tartare de betterave à la coriandre ou la charlotte à la mangue et aux fruits de la passion. Si bien que cette table qui, à petits coups de louche, trace avec la minutie du géomètre le cadastre du merveilleux gourmand, apparaît aujourd'hui capable de satisfaire tous les goûts.

Comme le *Café Riche*, son glorieux prédécesseur, le *Petit Riche* doit beaucoup de son succès au voisinage immédiat des Grands Boulevards. En lieu et place des anciennes fortifications de Charles V qui, jusqu'au XVIIe siècle, protégeaient la ville et la limitaient au nord, ils ont toujours été un lieu de promenade chéri des Parisiens, si bien mis en chanson par Yves Montand : « *J'aime flâner sur les grands boul'vards/Y a tant de choses, tant de choses à voir/On n'a qu'à choisir par hasard/On s'fait des ampoules/À zigzaguer parmi la foule.* » Épicentre des music-halls, des cinémas et des théâtres, ils ont valu au *Petit Riche* d'accueillir régulièrement de nombreux comédiens, à commencer par Mistinguett et Maurice Chevalier. Des portes Saint-Denis et Saint-Martin à la place de la Madeleine, et du théâtre des *Variétés* à *l'Olympia*, ils témoignent toujours d'une extraordinaire vitalité, même si trop de leurs salles de spectacle ont été supplantées par les boutiques de fripes et de frites. Le *Petit Riche*, lui, ne vacille pas sur ses bases. À quelques pas d'une foule affairée, il reste le témoin privilégié de la vie culturelle de Paris, et, sous ses plafonds peints, ses grands miroirs nous en renvoient les plus beaux songes.

Le moindre mérite de cette table proche des Grands Boulevards n'est pas de servir une cuisine traditionnelle à base d'excellents produits.

des Cafés Historiques Européens

Rognon de veau à la moutarde violette

POUR 2 PERSONNES

1 rognon de veau entier dégraissé
250 g de pommes de terre Grenaille
1 dl de fond de veau
10 g de moutarde violette de Brive au moût de raisin

Poêler le rognon de veau entier pendant 10 mn pour une cuisson rosée.
Cuire les pommes de terre Grenaille au four à 150 °C pendant 45 mn.
Composer la sauce avec le fond de veau additionné de moutarde violette, à la fois douce et épicée.

Terrine de canard, compote d'oignons rouges

POUR 25 PORTIONS

1 kg de magret de canard
600 g de palette de porc
600 g de gorge de porc
250 g de barde de porc
Sel, poivre, sucre, 4 épices
Porto et cognac
Oignons rouges
Huile d'olive
Vinaigre de vin vieux
Sucre roux

Terrine

Hacher grossièrement le magret de canard, la palette de porc et la gorge de porc.
Assaisonner avec sel, poivre, sucre, 4 épices, porto et cognac.
Tapisser la terrine de fines bardes de porc, puis mettre le mélange des viandes hachées.
Cuire au four, si possible avec une sonde.
La terrine est cuite quand la température à cœur est de 83 °C.

Compotée d'oignons rouges

Émincer les oignons rouges, puis les cuire à l'étuvée avec de l'huile d'olive. Déglacer au vinaigre de vin vieux et caraméliser au sucre roux.

Thon frais mi-cuit

POUR 2 PERSONNES

300 g de filet de thon frais
Graines de sésame
Vinaigrette
1 petite betterave
Huile de colza
Coriandre

Rouler le filet de thon dans des graines de sésame
et le marquer à la poêle sur toutes les faces.
Le thon doit rester rouge à l'intérieur.
Couper le filet en tranches épaisses (1,5 cm).
Servir sur les tranches de thon une vinaigrette composée
de jus d'orange pressée, de gingembre coupé en petits
dés, de vinaigre de Xérès et de miel, plus sel et poivre.
Accompagner le poisson d'un tartare de betterave :
betterave cuite, froide et coupée en dés, agrémentée
d'huile de colza et de coriandre fraîche hachée.

Bar entier grillé au fenouil

POUR 2 PERSONNES

1 bar entier de 300/350 g vidé
300 g de fenouil émincé
Huile d'olive
1 citron en dents de loup

Passer le bar au gril
7 à 8 minutes sur chaque face.
Dans une sauteuse, cuire les fenouils
à l'étuvée avec de l'huile d'olive.
Servir accompagné du citron.

AU PETIT

Charlotte mangue et fruits de la passion

POUR 8 PERSONNES

Œufs
Farine
Sucre
Gelée à dessert
Crème fleurette
1 mangue
Fruits de la passion

Biscuits à la cuillère

Mélanger 50 g de blanc d'œuf, 50 g de sucre, 30 g de jaune d'œuf et 50 g de farine.
Faire cuire 5 mn à 180 °C.
Garnir le moule à charlotte.

Mousse mangue et fruits de la passion

Porter à ébullition 1,5 l de purée de fruits de la passion et 20 g de sucre, puis laisser refroidir.
Incorporer 20 g de gelée à dessert.
Monter 225 g de crème fleurette et l'incorporer au reste.
Dans le moule à charlotte, garni de biscuits à la cuillère, mettre une mangue coupée en dès et verser dessus la mousse passion.
Réserver la charlotte au frais.

Au Pied de Cochon

Les nuits de Paris

Il est difficile d'imaginer aujourd'hui ce que fut l'activité des Halles de Paris qui, à l'initiative de Louis VI le Gros, alimentèrent la capitale pendant huit siècles. Transférées à Rungis à la fin des années 1960, elles ont cédé leur place à un forum marchand, en grande partie souterrain, et à un jardin géométrique aux fleurs corsetées de fer et aux arbustes taillés au rasoir. Maraîchers, poissonniers, volaillers, bouchers, fromagers, tripiers, et, dans une bousculade indescriptible, des cris, des rires, des disputes, des insultes même, celles des fameuses « poissardes » : c'était une ville dans la ville. Les quantités de nourriture qui s'y négociaient à grands coups de gueule apparaissent proprement himalayennes ; ainsi, dans la seule année 1967, à la veille de fermer définitivement les portes de leurs douze pavillons de fonte, les Halles centrales traitèrent-elles 1058009 tonnes de fruits et légumes, 268471 tonnes de viande et triperie, 141901 tonnes de beurre, œufs et fromage, 112095 tonnes de poissons et crustacés, 59969 tonnes de volaille et gibier. Théâtre de tous les commerces, y compris les moins avouables, ce gigantesque marché attira rapidement les noctambules. Gérard de Nerval évoque ceux du XVIIIe siècle, « des poètes en habit de soie, épée et manchettes », qui venaient y souper « les jours où leur manquaient les invitations au grand monde ». Le XXe siècle, lui, fit des Halles de Paris le dernier endroit où il fallait sortir pour s'encanailler. Après deux heures du matin, leurs brasseries unissaient autour du « gros rouge qui tache » baronnes emperlées et duchesses de la nuit, bourgeois en goguette et joyeuses « cloches », célébrités hollywoodiennes en rupture d'écran et journalistes en mal de copie, « forts » à chapeau à cornes et aristos à nœud papillon, bouchers sanguinolents et joueurs de rugby. Des papillons de nuit de toutes les couleurs, réunis dans un même chahut, et qui, ignorant les disparités sociales, se réchauffaient le corps avec une soupe à l'oignon, le cœur avec un pot de beaujolais, l'esprit avec des plaisanteries de comptoir.

Si le *Pied de Cochon* rayonne depuis peu sur le Mexique, la maison mère de Paris, elle, apparaît comme une sémillante sexagénaire.

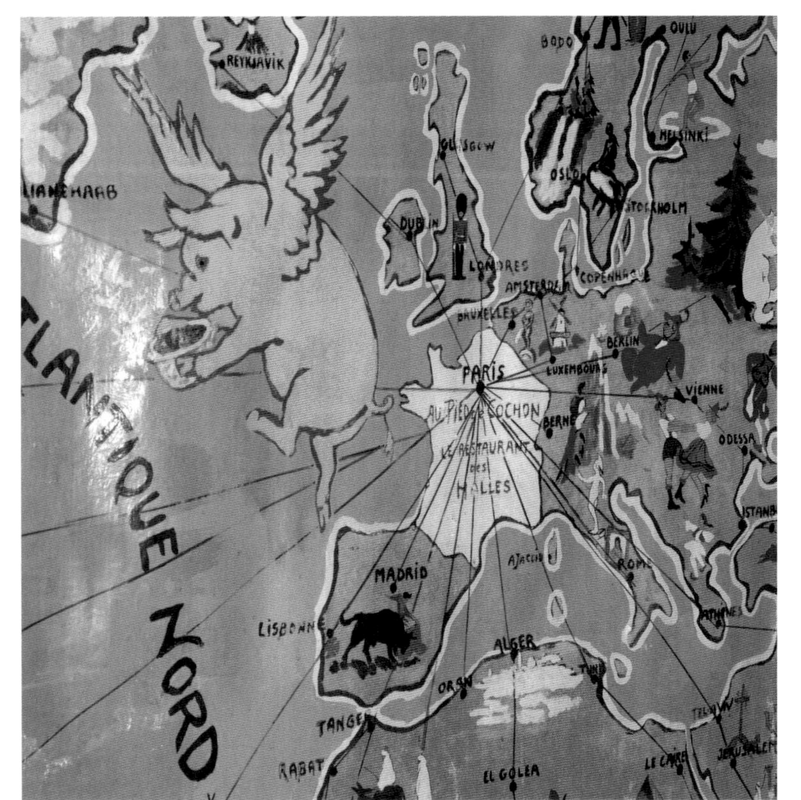

Ouvert jour et nuit

Le *Pied de Cochon*, ouvert 24 heures sur 24, fut l'exceptionnel témoin de ces danses de funambule si caractéristiques de l'après-guerre, à la fois empreintes de bonheur de vivre et de malheur d'exister. Par rapport aux établissements du même type, son histoire apparaît récente : la maison, telle que nous la connaissons aujourd'hui, n'ouvrit ses portes qu'en 1947, en lieu et place d'un bistrot

PC
1947 - 2007
Au Pied de Cochon

miteux où les travailleurs de la nuit mélangeaient allégrement le café brûlant au rhum et au calva. De cet ancien bastion des forts des Halles, l'entreprenant Clément Blanc va faire l'un des restaurants les plus en vue de Paris. D'origine lorraine, issu d'une famille d'agriculteurs, il suit une formation de comptable qui le conduit à occuper une place de caissier dans une boucherie en gros de la rue Jean-Jacques-Rousseau, voisine des pavillons Baltard. Très vite, il devient propriétaire du Comptoir central des producteurs de viande, puis président des Mandataires en viandes des Halles centrales de Paris. Au passage, il achète le *Pied de Cochon*. Comme la plupart des commerces, l'affaire vivote pendant l'occupation allemande, mais Clément Blanc ne se décourage pas. Il devine que, la paix revenue, les Parisiens, victimes de tant de privations et d'humiliations, voudront étancher leur soif de plaisirs. Il confie la gestion de l'établissement à un Auvergnat, Jean Causse, homme d'action accompli et mondain au carnet d'adresses bien rempli. Son sens de la réclame, jamais dépourvu d'humour, est resté célèbre. L'une des publicités qu'il réserve au *Pied de Cochon* est ainsi rédigée : « Toulouse a ses terrasses, Lyon sa butte Fourvières, Bordeaux ses Quinconces et son port, Marseille sa Canebière, mais le *Pied de Cochon* a un salon bar, intime, agréable, à votre disposition ».

L'établissement entame une irrésistible ascension. Selon les salles, il pratique plusieurs styles de restauration, adaptés aux bourses plates comme aux

Peu de restaurants parisiens peuvent se vanter d'avoir accueilli et de recevoir encore tant de célébrités, en provenance de tout horizon.

portefeuilles gonflés. Il accueille même les clochards qui, pour régler leur addition, se font quelques sous aux Halles en empilant des cageots ou en poussant des chariots. À sa manière à lui, le *Pied de Cochon* réconcilie tous les habitants de la capitale. Au fil des années, il va également écrire quelques-unes des plus belles pages de la vie parisienne. Joséphine Baker, Eddy Constantine, Robert Manuel, Line Renaud, le mime Marceau, Vittorio de Sica, Pierre Dux, Marcel Achard, Gilbert Bécaud, Jean-Paul Belmondo, Maria Callas, Eddy Mitchell, César, Danny Kaye, Serge Gainsbourg, Julien Clerc… Il faudrait un ouvrage entier pour citer toutes les personnalités qui y festoyèrent, accueillies par la délicieuse Rosie Ott, la belle-sœur de Clément Blanc, main de fer dans un gant de velours. Grace Kelly a parfaitement résumé la situation sur l'une des nombreuses pages d'un livre d'or qui est aussi une photographie de l'histoire artistique, sportive et politique de la seconde moitié du XXe siècle : « Des nuits inoubliables. » Le déménagement des Halles centrales va les peupler de cauchemars. La fin d'un monde. Le *Pied de Cochon* tient bon. Après une dizaine d'années difficiles, il s'agrandit en 1980, en achetant son voisin, *La Table des Halles*. Sous l'impulsion de Pierre, le troisième fils de Clément Blanc, il trouve une seconde jeunesse, et, sans renier ses choix originels, s'adapte avec intelligence aux nouvelles mœurs parisiennes. Plus de soixante ans après sa création, l'établissement demeure l'une des plus célèbres institutions gourmandes et festives de la capitale, et même du monde. C'est ainsi qu'en 2005, Vladimir Poutine tiendra à y dîner.

Ventre et cœur

Si le *Pied de Cochon* n'occupe plus le « ventre » de la capitale, il reste au cœur même de la ville, position enviable entre toutes. Et si les nuits de l'ombilic parisien sont plus calmes qu'autrefois, ses jours vivent encore au rythme des commerces de bouche. Bon sang ne saurait mentir. Ainsi, la rue Montorgueil perpétue-t-elle l'esprit des Halles défuntes avec ses bouchers, ses volaillers, ses fromagers, ses maraîchers, dont les produits, comme le verbe, ignorent toute fadeur ! Débarrassées des immeubles vétustes qui les prenaient au clocher, les églises Saint-Merri et Saint-Eustache laissent pleinement admirer leurs frises, leurs voussures et leurs arcatures. Les hôtels particuliers à dentelles de pierre et les vieilles maisons à toits tirés sur l'œil des rues Saint-Martin, Quincampoix, Coquillière, Sauval, Beaubourg ou Vauvilliers, ont, eux aussi, bénéficié d'une rénovation

Bien avant son succès international, le beaujolais a fait les beaux verres du *Pied de Cochon*, surtout sous l'impulsion de G. Duboeuf.

spectaculaire. Quant au centre Georges-Pompidou, il constitue, avec son riche musée national d'Art moderne, l'un des pôles les plus fréquentés de la rive droite. Bref, le quartier a entamé une nouvelle vie, et avec lui le *Pied de Cochon*, toujours très fréquenté. C'est bien la preuve qu'il ne saurait être question de résumer l'établissement à ses noceurs célèbres et à ses noctambules fatigués. Si, depuis toujours, le succès de cette brasserie tient à sa culture de la convivialité et à son sens de la fête, il est tout aussi lié à la qualité de sa table, bien mise, bien garnie et toujours innovatrice. Ses miroirs enguirlandés de fleurs reflètent nos rêves de gourmandise les plus secrets, voire les plus triviaux, et, dans cette maison qui a fait de la bonne humeur sa pierre angulaire, chacun est fermement prié d'abandonner ses soucis au vestiaire.

L'enseigne du *Pied de Cochon* le dit sans ambages : la cuisine tire ici la substantifique moelle du porc. De chacun de ses morceaux, elle fait un mets de roi, en collaboration avec l'illustre charcuterie *Chedeville*, dont l'expérience en la matière remonte au premier Empire. La simple lecture de la carte donne le « la » de l'établissement : pied de cochon, tête de Monsieur, pot-au-feu canaille, civet de joue de porcelet confit, cochon de lait rôti, et même confiture de cochon… L'animal rose, le plus fastueux de la gastronomie française, a un pays : le *Pied de Cochon*.

Dans cet univers de charcuterie et de viande, que couronne l'illustrissime soupe à l'oignon, les huîtres plates et creuses ont réussi à se faire leur place, et leur banc apparaît aujourd'hui indissociable de la façade de l'établissement. Il est comme un sceau. Pierre Blanc et Jacques Cadoret, le célèbre ostréiculteur breton de Riec-sur-Belon, ont été de ceux qui, à partir des années 1970, ont définitivement balayé le préjugé des mois en « r ». Jusqu'alors, on hésitait à déguster les coquillages durant leur période de fécondation. Grâce à eux, les Parisiens ont appris à apprécier les huîtres laiteuses, qu'ils savourent aujourd'hui tout au long de l'année. Cochon qui s'en dédie !

Un décor Belle Époque sert d'écrin au cochon. Le fastueux animal règne autant dans les assiettes qu'en façade ou que sur les murs.

Gratinée à l'oignon

POUR 6 PERSONNES

600 g d'oignons
150 g de beurre
2 l de fond de bœuf
Sel
Poivre
Baguette
300 g de gruyère
1 brindille de thym
6 feuilles de laurier

Éplucher et émincer les oignons.
Les faire suer au beurre doucement durant 30 mn.
Ajouter le fond de bœuf, assaisonner
et faire bouillir 5 mn.
Dresser en bol avec des tranches de baguette
grillées et saupoudrer de gruyère.
Gratiner et servir.

Traditionnel pied de cochon béarnaise, pommes pont-neuf au saindoux

POUR 6 PERSONNES

6 pièces de pieds arrière d'environ 500 g chacun
1,8 kg de grosses pommes de terre Bintje
2 kg de saindoux

Demander au tripier six beaux pieds panés d'environ 500 g.
Éplucher les pommes de terre, tailler des grosses frites
de 1 cm d'épaisseur et d'une longueur
de 6 cm (il faut compter neuf pièces
par personne). Les rincer longuement à l'eau claire.
Mettre à chauffer le saindoux.
Égoutter et assécher les pommes pont-neuf.
Les traiter en premier bain à 150 °C pendant 4 à 5 mn.
Mettre les pieds sur une plaque bien à plat et mettre
en température pendant 40 mn au four à 150 °C.
Faire bien chauffer le saindoux à 180 °C
et y plonger les pommes pont-neuf pendant 3 mn,
jusqu'à obtenir une coloration régulière et douce.
Dresser les pieds à plat et disposer
les pommes en quadrillage.
Mettre une fleur de sel sur les pieds
et les pommes pont-neuf, le tout accompagné
d'un bouquet de salade.
Servir avec une sauce béarnaise.

Tête de monsieur cochon

POUR 6 PERSONNES

1 tête de porc avec la langue
2 carottes
1 oignon
1 clou de girofle
8 grains de poivre blanc
1 cuillère de farine
1 poireau
1 petite branche de céleri
1 citron
Pour la ravigote :
1 cuillère de câpres
2 échalotes ciselées fin
1 cuillère de persil plat haché
1 cuillère d'estragon haché
2 œufs durs hachés
10 cl d'huile d'arachide
5 cl de vinaigre de vin
1 cuillère de cornichon haché
1 cuillère de moutarde à l'ancienne

Plonger la tête de porc désossée dans une grande marmite d'eau froide, porter à ébullition 15 mn, rafraîchir sous l'eau froide.
Nettoyer les impuretés, puis remettre dans une marmite d'eau froide avec la langue de porc et tous les légumes épluchés et taillés grossièrement, plus le clou de girofle.
Délayer le jus de citron avec la farine et un peu d'eau, puis l'ajouter à la préparation.
Mettre en cuisson pour 1 h 30 environ.
Retirer les morceaux de la tête et de la langue, dégraisser le bouillon, et garder au chaud dans le bouillon.
Préparer la vinaigrette dans un petit saladier, mélanger tout ensemble avec le vinaigre et huile, incorporer les éléments et vérifier le goût.
Servir bien chaud avec des pommes vapeur.

Os à moelle

POUR 6 PERSONNES

12 os à moelle longs de 15 cm coupés en deux
Graines de moutarde
Fleurs de thym fraîches
Fleur de sel
Gros sel
Poivre

Demander à votre boucher de couper les os dans le sens de la longueur.
Les faire dégorger dans de l'eau salée pendant une nuit (pour enlever les parties sanguinolentes).
Les éponger avec du papier absorbant et les disposer sur une plaque allant au four.
Allumer votre four à 140 °C et enfourner les os pendant 20 mn (four ventilé).
Pendant ce temps, préparer le mélange avec la fleur de sel, les graines de moutarde, le poivre concassé et les fleurs de thym fraîches.
Saupoudrer délicatement ce mélange sur les os sortant du four.
Servir sur un lit de gros sel (pour la stabilité) avec des toasts de pain de campagne.

Crêpes au Grand Marnier

POUR 6 PERSONNES

18 crêpes
40 g de sucre
30 g de beurre
25 cl de jus d'orange frais
100 g de zestes d'orange
5 cl de Grand Marnier

Faire fondre 40 g de sucre dans une poêle bien chaude jusqu'à l'obtention d'une surface brillante.
Incorporer par petits dés 30 g de beurre.
Déglacer au jus d'orange (25 cl).
Faire réduire 1 à 2 mn et ajouter les zestes d'orange.
Incorporer les crêpes et les arroser.
Faire rougir une partie de la poêle puis verser le Grand Marnier sur cette dernière.
Le flambage fini, laisser encore réduire jusqu'à avoir un sirop.
Dresser et servir.

BOFINGER

La voix du peuple

ENCYCLOPÉDISTE, HISTORIEN, grammairien, philosophe, romancier, conteur et poète, Jean-François Marmontel (1723-1799) avait tous les talents. En 1761, il fit un dîner apparemment inoubliable. Il le détaille ainsi : « Un excellent potage, une tranche de bœuf succulent, une cuisse de chapon bouilli ruisselant de graisse et fondant, un petit plat d'artichauts frits en marinade, un d'épinards, une très belle poire crassane, du raisin frais, une bouteille de vin vieux de Bourgogne et du meilleur café de Moka. » Avait-il pris place à une table princière ? Pas franchement. Il était emprisonné à la Bastille, où il resta onze jours pour avoir récité, chez Marie-Thérèse Rodet Geoffrin, salonnière réputée, une satire à l'encontre du duc d'Anjou dont il refusait de dénoncer l'auteur.

La coupole ovale à motifs floraux qui, chez Bofinger, illumine la grande salle, est due aux célèbres verriers Néret et Royer (1919).

Bâtie au XIVe siècle, la forteresse de la Bastille était originellement destinée à protéger Paris des agressions extérieures. Elle devint, avec Richelieu, la prison des ennemis de l'intérieur, ou considérés comme tels. S'y succédèrent des personnalités aussi célèbres que Fouquet, Latude, Lally-Tollendal, Sade, le cardinal de Rohan ou Voltaire. Tandis que les prisonniers obscurs mouraient parfois dans leurs cachots, noyés par les crues de la Seine, les *people* d'avant la lettre y tenaient table ouverte et recevaient des invités de choix. Derrière les barreaux, ils faisaient des provisions de bien-être.

Tombée entre les mains des révolutionnaires le 14 juillet 1789, la prison fut démantelée. Poussèrent aussitôt moult guinguettes sur les bases de ses huit tours massives jetées à terre par le peuple en colère. Le lieu, décidément, était fait pour festoyer ! Frédéric Bofinger, enfant de Colmar, ne s'y trompa point. En 1864, l'année funeste du phylloxéra, il ouvrit une brasserie au numéro 5 de la rue de la Bastille, à la lisière de la place éponyme. Les Parisiens s'y bousculèrent très vite. Les Alsaciens de Paris aussi, ses compatriotes installés depuis longtemps comme ébénistes et comme menuisiers à deux pas, dans le quartier du Faubourg Saint-Antoine.

L'Alsace à Paris

C'est que, chez *Bofinger*, on ne se contentait pas de faire bonne chère. Cet endroit, unanimement apprécié pour sa charcuterie régionale, valait aussi pour sa pompe à bière, la première du genre dans la capitale. Comme celui du semeur

de campagne, le geste du brasseur de comptoir est « auguste et solennel », mais ses effets présentent l'avantage de l'instantanéité. En quelques secondes se remplissaient les chopes, aussitôt vidées, et tout le monde s'amusait beaucoup, d'autant que la « mousse » titrait alors entre 18 et 25 degrés. À partir du milieu du XIXe siècle, l'évolution galopante des techniques de filtration, de réfrigération et de fermentation assure à la bière une qualité beaucoup plus constante qu'auparavant. S'élargit le cercle de ses amateurs, tandis que sa dégustation à la pression ajoute un certain folklore et une fraîcheur nouvelle à la boisson. Avec son ouverture à la modernité et son génie de la jouissance des choses, Frédéric Bofinger fait fortune. En 1906, c'est une affaire florissante qu'il cède à son gendre, Albert Bruneau, associé à Louis Barraud. Les deux hommes ne se contentent pas de récolter les lauriers acquis par leur glorieux prédécesseur, le pionnier par excellence des brasseries alsaciennes à Paris. Eux aussi ont de l'ambition et des idées. En 1919, ils avalent les numéros 3 et 5 de la rue de la Bastille et agrandissent d'autant le restaurant. Pour l'embellir, ils frappent aux portes de l'architecte Legay et du décorateur Mitgen. Ce sont les bonnes. Ces grands professionnels restructurent un espace jusqu'alors composite et lui confèrent toute la cohérence souhaitable. Comme d'un coup de baguette magique, il devient soudain élégant et chaleureux, dans le plus pur style des plus beaux restaurants d'Alsace. La porte à tambour, le bar, l'escalier à vaste révolution, les banquettes de cuir noir matelassé, les appliques en bronze à pétales de tulipe, les cuivres, les portemanteaux, les vases de céramique de Massier, les panneaux marquetés de Panzani, tous ces trésors sont parvenus jusqu'à nous, y compris la fameuse pompe à bière des débuts de la maison ! D'immenses miroirs biseautés, renvoient d'une table à l'autre les images rutilantes du décor, la fumée des choucroutes monumentales et les têtes connues du Tout-Paris. Une coupole ovale à motifs floraux, signée par les verriers Néret et Royer, couronne le tout.

Le malheur des uns... En 1864, tandis que le phylloxéra détruit les vignobles, Frédéric Bofinger décide de régaler de bière les Parisiens.

Même le sous-sol témoigne d'une recherche très particulière et multiplie les détails inattendus, notamment avec ses urinoirs des toilettes pour hommes, en céramique blanche et que coiffent de magnifiques dauphins ! Quant au premier étage, il cache, en haut de l'escalier, un salon particulier qui peut accueillir de six à huit personnes et constitue une merveille du genre. Il a été décoré par Jean-Jacques Walz, surnommé Hansi. Ce célèbre dessinateur, peintre et caricaturiste, est né à Colmar, comme Frédéric Bofinger. Il compte nombre de boulangers et de bouchers parmi ses ancêtres, ce qui, mis à part son talent, semble l'avoir prédestiné à ce genre de tâche ! Sur les boiseries qui recouvrent les murs, il peint des

cigognes, des coccinelles, des Alsaciennes en costume régional, et, bien sûr, des bretzels. Avec les géraniums aux fenêtres, on se croirait dans une *winstub* de Riquewhir.

Les Années folles sacrent la maison de Bruneau et Barraud comme la « plus belle brasserie de Paris », même si, à cette époque, d'autres adresses du même type revendiquent le titre et ne manquent pas d'arguments pour le faire. *Bofinger* est en tout cas la plus alsacienne de toutes, et animée, 24 heures sur 24, de l'appétit de tout.

De l'écrivain et chansonnier montmartrois Aristide Bruant à Édouard Herriot, président de Conseil et président de la Chambre des députés sous la IIIe République, mais aussi futur académicien, elle engrange une clientèle célèbre. Le journaliste et écrivain Curnonsky, Gault et Millau à lui tout seul, y va de ses compliments et de ses conseils dans *La France gastronomique*, ouvrage publié en 1925 : « Ne pas hésiter à intriguer auprès du patron – qui est d'ailleurs un très aimable homme et un héros de la Grande Guerre – pour goûter ses eaux-de-vie de framboise et de mirabelle. »

Java et opéra

La proximité des gares de Lyon, d'Austerlitz et de la Bastille, disparue aujourd'hui, grossit encore la clientèle d'une maison jour et nuit vibrante et scintillante. Elle apparaît comme l'un des principaux acteurs de la geste d'une restauration

Dès le début du XXe siècle, *Bofinger* est apparu comme l'un des restaurants les plus scintillants de la capitale. Il l'est toujours.

parisienne qui glisse du café à la brasserie, le dernier salon où il faut être vu. Avec la Seconde Guerre mondiale, l'adresse vacille sur son socle, et son enseigne, décorée par Hansi, semble chanter avec moins de conviction la douceur alsacienne. *Bofinger* se remettra mal de ces temps difficiles. Le Kougelhopf et le jarret de porc sont toujours là, mais pas le cœur. La brasserie passe de main en main. À la fin des années 1960, elle retrouve un certain élan et beaucoup de son lustre décoratif sous l'impulsion de ses nouveaux propriétaires, Isodore Urtizverea et Éric de Rothschild. On y croise à nouveau des célébrités de la politique, de la littérature et du monde du spectacle, de Georges Pompidou à Mikhaïl Gorbatchev, de François Mitterrand à Édouard Balladur, de Jean-Édern Hallier à Woody Allen. En 1982, ce sont Georges Alexandre, Michel Vidalenc et Jean-Claude Vigier qui en prennent la barre. Le quartier change peu à peu. D'industrieux, artisanal et canaille, il devient branché et « bobo », mais ce bouleversement sociologique ne fait qu'entamer son caractère viscéralement populaire. Les rues de Lappe, de La Roquette ou de Charonne conservent leurs maisons anciennes, leurs passages mystérieux, leurs cours pavées, leurs troquets joyeux, et, malgré l'érection de l'Opéra Bastille, préfèrent toujours Yvette Horner à Wolfgang Amadeus Mozart. Quand la java est là, on ne la chasse pas comme ça ! Le 1er mai 1996, Jean-Paul Bucher, qui s'était intéressé à l'affaire quelques années auparavant, concrétise son rêve en prenant en charge *Bofinger*. Le groupe des brasseries *Flo* choie alors cette perle comme elle le mérite. Sous l'impulsion du chef Georges Belondrade, elle ajoute la choucroute de la mer, le carré d'agneau persillé et son crumble de tomate, le tartare de fruits frais, le millefeuille de chèvre fermier ou le vacherin glacé vanille framboise aux spécialités qui ont fait ses belles heures. La choucroute traditionnelle, bien sûr, y garde une place bien au chaud : on en sert une centaine par jour ! Une gastronomie renouvelée dans un cadre préservé : *Bofinger* est à l'image de son quartier, dont l'évocation qu'en faisait Fréhel, vedette de la chanson réaliste de l'entre-deux-guerres, nous semble soudain étrangement actuelle :

« L'rendez-vous des purs, des vrais, des chouettes.
C'est à la Bastille, tout près d'la Roquette.
Y a là réunis plusieurs bals musettes.
Où tous les rupins, les gens du gratin viennent voir les copains. ».

La maison n'a jamais cessé de s'agrandir et de s'embellir, sous l'impulsion de quatre générations de patrons amoureux du lieu.

Millefeuille de chèvre fermier à la fleur de thym et chips de betterave

POUR 4 PERSONNES

300 g de chèvre fermier
100 g de céleri-rave
10 cl d'huile de noisette
Sel, poivre du moulin
150 g de betterave crue
200 g de betterave cuite
20 cl de vinaigre de vin vieux
10 cl d'huile de soja
Cerfeuil
Estragon
Persil plat
Fleur de thym

Confectionner la vinaigrette de betterave.
Éplucher la betterave crue, mixer avec le vinaigre, l'huile de soja, le sel et le poivre.
Réserver.
Cuire le céleri-rave 24 h à l'avance et le mettre à égoutter au réfrigérateur.
Placer dans un robot le chèvre et le céleri-rave, monter à l'huile de noisette, vérifier l'assaisonnement.
Couper la betterave cuite en rondelles de 2 cm d'épaisseur, mettre douze tranches à sécher dans le four.
À l'aide d'un emporte-pièce, monter par couches successives rondelles de betterave et chèvre.
Finir par le chèvre et la fleur de thym.
Disposer trois chips de betterave et un bouquet de salade d'herbes sur le dessus, ainsi qu'un cordon de vinaigrette de betterave tout autour.

Choucroute de la mer

POUR 4 PERSONNES

1,2 kg de choucroute cuite
350 g de filet de saumon norvégien
320 g de filet de haddock
400 g de lotte
200 g de langoustines 20/30
Court-bouillon
0,4 l de beurre blanc

Préparer les poissons en les coupant en morceaux de 80 g.
Les cuire au court-bouillon.
Confectionner le beurre blanc.
Réserver.
Poêler les langoustines.
Disposer une boule de choucroute dans l'assiette, les poissons autour, napper de beurre blanc.
Servir très chaud.

CARRÉ D'AGNEAU PERSILLÉ, CRUMBLE DE TOMATE

POUR 4 PERSONNES

4 carrés d'agneau (3 côtes de 240 g pièce)
5 cl d'huile d'arachide
Sel, poivre du moulin
250 g de concassée de tomate
50 g de farine
50 g de poudre d'amande
30 g de beurre
2 g de fleur de thym
0,2 l de jus d'agneau
Persillade

Confectionner une concassée de tomate (thym, laurier, échalotes, ail, huile d'olive, sel, poivre, tomates pelées).
Réserver.
Préparer le crumble. Mélanger la farine, le beurre, la poudre d'amande et la fleur de thym.
Passer au tamis, gros trou, puis cuire au four 180 °C pendant 12 mn.
Cuire les carrés d'agneau rosé.
Aux trois quarts de la cuisson, mettre la persillade.
Laisser reposer.
Disposer dans un cercle la concassée de tomate.
Poser dessus le crumble et remettre au four 3 mn à 180 °C.
Disposer en haut de l'assiette le crumble de tomate, le carré d'agneau, un cordon de jus d'agneau, et poser une feuille de laurier et une branche de thym sur le crumble.

"Bofinger"
Paris 1864

VACHERIN GLACÉ VANILLE FRAMBOISE

POUR 4 PERSONNES

Meringues
50 g de blanc d'œuf
50 g de sucre glacé
50 g de sucre semoule
300 g de coulis de framboise
200 g de glace vanille
200 g de sorbet framboise

Monter les blancs en neige bien fermes.
Ajouter le sucre semoule et le sucre glacé.
Coucher en disques de 6 cm de diamètre
et sécher au four.

Chantilly
40 g de crème fleurette
1 trait d'extrait de vanille

Monter la crème en chantilly
et ajouter l'extrait de vanille.
Sur un disque de meringue,
disposer une boule de glace vanille
et une boule de sorbet framboise.
Recouvrir avec un second disque.
En finition, une belle rosace de chantilly,
une framboise et un bourgeon de menthe.
Verser le coulis de framboise tout autour.

TARTARE DE FRUITS FRAIS, SORBET CITRON, JUS À L'HIBISCUS

POUR 6 PERSONNES

Tartare de fruits
200 g de pommes golden
200 g d'ananas
1 barquette de groseilles
200 g de melon charentais
200 g de mangues
15 cl de jus d'orange
15 cl sirop à 30°
200 g de sorbet citron

Tailler les fruits en cubes et mettre à mariner
dans le jus d'orange et le sirop.

Tuiles aux amandes
40 g sucre cassonade
20 g d'amandes effilées
20 g de glucose
20 g de beurre

Mélanger le tout, faire des boules de 10 g
et cuire au four à 180° C jusqu'à coloration.
Débarrasser et laisser refroidir.

Sauce hibiscus
5 cl de jus de citron
5 cl de jus d'orange
0,5 l d'eau
3 g de cannelle
3 g de badiane
10 g de feuille d'hibiscus
150 g de sucre
40 g de Maïzena

Porter le tout à ébullition, lier à la Maïzena,
ajouter les feuilles d'hibiscus, laisser infuser, chinoiser,
refroidir et recouvrir. Dans une coupe, mettre le tartare
de fruits bien frais, un trait de sirop et une boule
de sorbet citron, puis ajouter la tuile.

Brasserie Lipp

La politique se met à table

LIPP, OÙ BRÛLE TOUJOURS, et sans vaciller, la flamme germanopratine, c'est d'abord une injustice. Qui, en effet, se souvient de Léonard Lipp et de son épouse Pétronille ? Ces Alsaciens qui avaient fui les Allemands après la guerre de 1870 sont pourtant les fondateurs de cet établissement dont la célébrité rivalise, de nos jours, avec celle de la tour Eiffel. Sans elle, et donc sans eux, Paris ne serait pas tout à fait Paris. En 1880, ses tables se comptent sur les doigts des deux mains. Sa clientèle, fine équipe de marginaux géniaux qui, entre deux verres, taquinent la muse, y plante déjà quelques-uns des jalons de sa légende ; les noms des groupes auxquels ils appartiennent donnent le ton, tels les Hirsutes ou les Décadents. Alfred Jarry, le fameux auteur d'*Ubu roi*, y cultive son anticonformisme viscéral en commençant son repas par le dessert, pour le conclure par l'entrée ! Dans un joyeux tintamarre, la bière, qu'elle soit blonde ou brune, coule à flots, et elle est excellente. Sa réputation attire Verlaine et Apollinaire. Elle arrive jusqu'aux fragiles oreilles de Marcel Proust qui, emmitouflé et confiné à l'hôtel *Ritz*, charge sa sœur de l'en approvisionner. Martin Barthélémy-Hébrard est bien oublié lui aussi. À la veille de la guerre 1914-1918, ce digne successeur du couple Lipp va pourtant donner un nouvel élan à ce lieu habillé de grands miroirs, dont la relative sobriété tranche avec les volutes et les entrelacs compliqués qui caractérisent l'époque. On se croirait dans un chaleureux restaurant de province, pas m'as-tu-vu pour un sou. Il rassure. Ses faïences portent la signature des frères Fargue, père et oncle du poète et chroniqueur Léon-Paul Fargue. S'esquisse le destin littéraire de la brasserie.

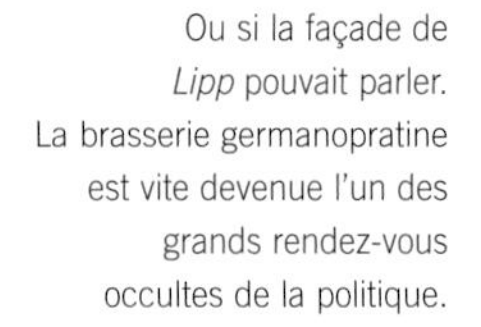

Ou si la façade de *Lipp* pouvait parler. La brasserie germanopratine est vite devenue l'un des grands rendez-vous occultes de la politique.

La dynastie Cazes

Léonard Lipp et Martin Barthélémy-Hébrard ont gâché le sable et le ciment dans l'auge du succès, mais c'est avec Marcellin Cazes qu'a pris le mortier. Dans la mémoire collective, *Lipp*, c'est Cazes. Exit les pionniers. Raie tracée au cordeau, moustache fournie et franc sourire, Marcellin Cazes est un Aveyronnais bon teint, travailleur et malin. Il a commencé sa carrière professionnelle en arpentant les rues de Paris avec une baignoire et une citerne d'eau sur les épaules : il livrait des bains à domicile, à une époque de confort succinct et

de propreté approximative. Sous sa férule, *Lipp* ne désemplit pas, tandis que Saint-Germain-des-Prés devient l'un des principaux carrefours du Tout-Paris. Il faut agrandir le restaurant. Qu'à cela ne tienne : en 1924, la cour qui le jouxte est couverte et transformée en salle à manger par l'architecte Madeline. En 1930, notre homme achète une seconde affaire : le *Balzar* qui, situé entre les jardins du Luxembourg et le Panthéon, date de 1898. Tout ce que la IIIe République compte de personnages en vue, hommes politiques, éditeurs, écrivains, journalistes, couturiers, comédiens, metteurs en scène, défile alors chez *Lipp*, sous le double signe de la choucroute de Strasbourg et du couteau de Laguiole. La naissance d'un mythe.

Les serveurs de chez *Lipp* sont d'extraordinaires physionomistes, même s'ils n'avaient sans doute aucun mal à reconnaître Picasso !

Après l'éclipse de la Seconde Guerre mondiale, il se perpétuera jusqu'à aujourd'hui, tandis que Roger Cazes succédera à son père en 1961 et que Michel-Jacques Perrochon, son neveu, héritera de l'affaire en 1981. À partir de 1989, la famille Bertrand entre au capital de la brasserie, quelle va gérer avant d'en devenir propriétaire en 2002.

La liste est longue des personnalités qui ont fait de *Lipp* leur cantine, de Léon Blum à François Mitterrand, de Jacques Laurent à Georges Pompidou, d'André Gide à Albert Camus, d'Antoine de Saint-Exupéry à Pablo Picasso, de Marx Ernst à Romain Gary, de Michel Butor à Alberto Giacometti. Dans *Paris est une fête*, Ernest Hemingway immortalise le lieu, et l'Amérique s'en entiche : « Il ne fallait pas longtemps pour aller chez *Lipp* et le plaisir de m'y rendre était accru par les sensations que me rapportaient, au passage, mon estomac, plus encore que mes yeux et mon odorat, le long du chemin. Il y avait peu de monde à la brasserie et quand je pris place sur la banquette, contre le mur, avec le miroir dans mon dos et une table devant moi, et quand le garçon me demanda si je voulais une bière, je commandai un *distingué*, une grande chope en verre qui pouvait contenir un bon litre, et une salade de pommes de terre. »

Plus tard, le comédien Francis Blanche emboîtera joyeusement le pas de l'auteur de *L'Adieu aux armes*. Quand il s'attablait chez *Lipp*, il ne buvait jamais moins de deux *distingués* par repas et trouvait toujours la coupe trop petite.

On a dit et redit que les ministères se faisaient et se défaisaient chez *Lipp*, une serviette autour du cou. Les carrières littéraires aussi, dans le ballet incessant des éditeurs chevronnés, Gaston Gallimard et René Julliard en tête, des romanciers confirmés et des auteurs débutants. En 1935,

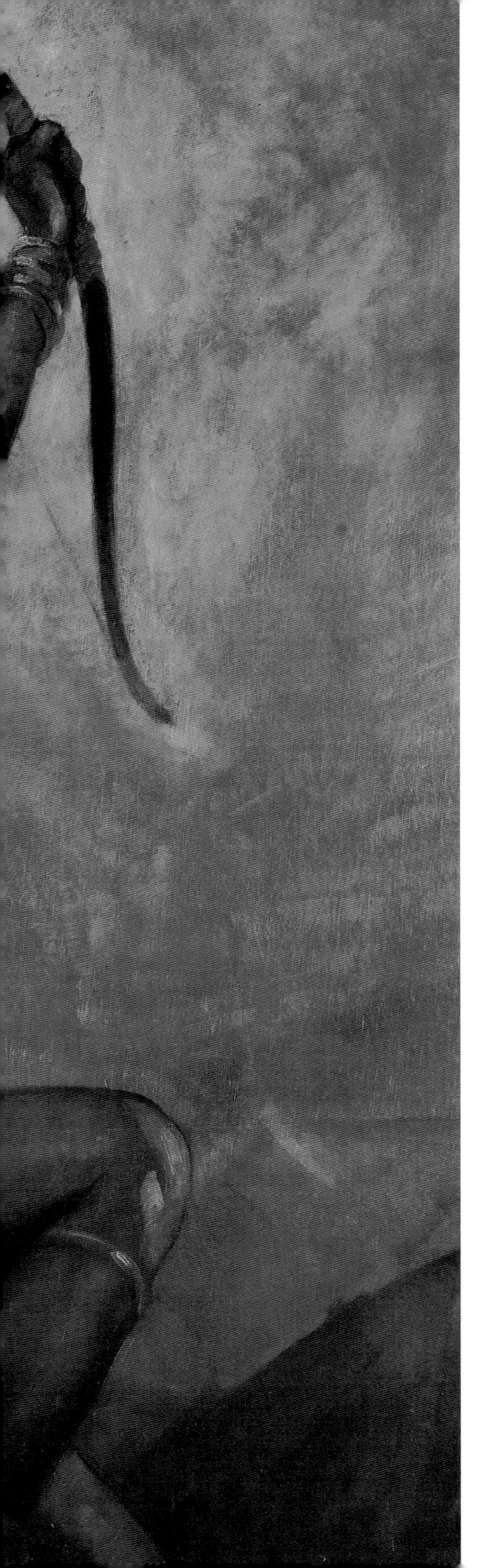

Marcellin Cazes, qu'on imagine heureux de mêler la bière à l'encre, fonde un prix littéraire, attribué à un écrivain n'ayant jamais été distingué jusqu'alors, et le dote généreusement. Univers du livre, la brasserie est aussi celui des bons mots. Dans les années 1960, le danseur Jacques Chazot, plus réputé pour son humour perfide que pour ses entrechats, assure qu'il est difficile de téléphoner de chez *Lipp* quand le journaliste Philippe Bouvard y déjeune. De petite taille, ce dernier est accusé de s'emparer des bottins pour se rehausser sur son siège.

Même le général de Gaulle...

La brasserie qui, auréolée de tant de gloire, finit par impressionner le contribuable, a ses rites, pas forcément plaisants. Ainsi, au 151 du boulevard Saint-Germain, le rez-de-chaussée est-il réservé aux têtes connues, tandis que les anonymes sont expédiés au premier étage. « *Lipp* est indispensable au décor parisien. N'est-ce pas le seul endroit où l'on puisse avoir pour un demi le résumé fidèle d'une journée politique ou intellectuelle française », écrivait déjà, en 1939, Léon-Paul Fargue dans son *Piéton de Paris*.
Quand on demandait à Roger Cazes quelle personnalité politique n'avait jamais poussé la porte de son établissement, il faisait mine de réfléchir longuement, avant de répondre : « À part Benoît Frachon, je n'ai pas encore eu les dirigeants du Parti communiste. Ce doit être du snobisme. »
Même la haute silhouette du général de Gaulle fut familière des lieux, au temps du R.P.F., dont le siège se trouvait rue de Solférino.
Il paraît soudain futile, incongru même, d'évoquer l'œuf en gelée, le cervelas rémoulade, la choucroute, le pied de porc farci, la salade au

La brasserie est classée monument historique pour sa façade en acajou verni, son décor 1900, ses céramiques murales et ses plafonds peints.

thon, la brandade de morue gratinée, le bœuf gros sel, le hareng de la Baltique ou le mille-feuille, à propos d'un lieu où, de toute évidence, souffle l'esprit et se joue le sort du monde. Les nourritures terrestres y ont pourtant leur place et sont indissociables de la réputation du lieu. Elles y sont traitées avec soin et visiblement dégustées de bon appétit par des convives assis côte à côte et qui pratiquent une convivialité retenue. Ici, les sorties tonitruantes entre la poire et le fromage ne sont pas de mise. Chez *Lipp*, les repas ont quelque chose de religieux. On pense à Cambacérès, instigateur du Code civil et archichancelier de l'Empire, mais aussi gastronome averti : « Parlez plus bas, on n'entend plus ce qu'on mange ! »

Il s'appela d'abord la *Brasserie des Bords du Rhin*, mais c'est à un autre fleuve, la Seine, que l'endroit doit sa renommée internationale.

Si la *Brasserie Lipp* est une institution, elle apparaît aussi comme l'un des derniers remparts de la légende de Saint-Germain-des-Prés, avec ses voisins immédiats, le *Flore* et les *Deux Magots*, où Simone de Beauvoir se chauffait au poêle et où Jean-Paul Sartre rédigeait l'alphabet de l'existentialisme.

De la place du Québec au carrefour Croix-Rouge, les couturiers prennent peu à peu la place des libraires, les décorateurs des bouquinistes, les banquiers des éditeurs. Pourtant, le quartier conserve un certain foisonnement intellectuel, distille un émoi à peine émoussé et produit toujours des talents frondeurs. Entre la place de Fürstenberg et la rue Jacob, il suffit d'un zest d'imagination pour entendre la trompette de Boris Vian et la clarinette de Claude Luther, les chansons de Juliette Gréco et de Léo Ferré, les poèmes de Robert Desnos, de Paul Eluard et de Louis Aragon.

Avec une mélancolie à peine exprimée, Saint-Germain-des-Prés, mélange pérenne de légèreté et de profondeur, reste le rendez-vous des enchanteurs. Au pied de son église, les noms des rues de l'Abbaye, du Dragon, du Vieux-Colombier, des Ciseaux, de la Petite-Boucherie, de l'Échaudé ou des Canettes, nous parlent haut et fort du vieux Paris. Autant qu'un après, il y a un avant à Saint-Germain-des-Prés, dont les vestiges de l'abbaye remontent au VIe siècle et dont les immeubles huppés accueillirent successivement la première noblesse de France, les barons d'empire et les chevaliers d'industrie.

Lipp se trouve au carrefour de toutes les vies du quartier, et, en même temps qu'un bottin mondain, la maison est un livre d'histoire.

BRASSERIE
LIPP

CHOUCROUTE
JAMBON D'YORK
SAUCISSES DE STRASBOURG
HARENGS MARINÉS

Blanquette de veau

POUR 5 PERSONNES

600 g de veau (poitrine, collet ou épaule)
125 g de champignons
1 carotte
Petits oignons
30 g de beurre
25 g de farine
2 jaunes d'œufs
Lait
1 bouquet garni
Sel et poivre

Découper la viande en morceaux d'environ 30 g chacun, les mettre dans une casserole et baigner d'eau froide. Placer la casserole sur le feu, et, à ébullition, écumer complètement, puis ajouter quelques petits oignons, la carotte découpée en rondelles, le bouquet garni, sel et poivre. Cuisson : 1 h 30. Égoutter la viande, et, avec le bouillon, mouiller un roux composé de 30 g de beurre et de 25 g de farine. Laisser cuire 15 mn à feu doux. Dans un bol, mettre deux jaunes d'œufs et quelques cuillères à soupe de lait froid, mélanger avec un fouet, puis verser un peu de sauce sur la préparation. Transvaser ensuite le contenu du bol dans le reste de la sauce. Placer la sauce à feu vif et remuer vigoureusement jusqu'à ébullition, pendant quelques minutes. Verser la sauce sur la viande et ajouter 125 g de champignons cuits à part.

Œufs en gelée

POUR 1 PERSONNE

2 œufs
50 g de jambon blanc coupé en lamelles
1 sachet de gelée
Feuilles d'estragon
Mâche
1 tomate
Sel

Pocher les œufs pendant 3 mn dans 1 l d'eau bouillante avec un fond de vinaigre d'alcool blanc. Tremper ensuite les œufs dans l'eau froide et enlever délicatement leur coquille. Faire chauffer l'eau nécessaire à la gelée, saler, ajouter la poudre de gelée quand l'eau est à ébullition, tourner avec une cuillère pendant environ 1 mn, puis ôter la casserole du feu. Couler un peu de gelée dans un ramequin, le chemiser avec les lamelles de jambon, ajouter l'estragon, attendre que la gelée prenne un peu, placer dessus les œufs pochés et les recouvrir avec la gelée restante. Décorer avec de la gelée hachée, de la mâche et deux quartiers de tomate. Mettre le ramequin au réfrigérateur (10 mn au minimum). Démouler et servir.

LIPP

Bœuf mode

POUR 6 PERSONNES

1 kg de bœuf dans la tranche, l'aiguillette, le rond ou la culotte
1 pied de veau
150 g de couenne de porc
600 g de carottes
30 petits oignons
Saindoux
1 bouquet garni
Vin blanc
Sel et poivre

Faire revenir le bœuf à la cocotte avec un peu de saindoux, puis, quand il roussit uniformément, mouiller avec de l'eau et du vin blanc à hauteur de la viande.
Ajouter le pied de veau désossé et les couennes (ébouillantées 5 mn et rincées).
Adjoindre le bouquet garni, saler et poivrer, couvrir et laisser cuire doucement pendant 2 h.
À la fin de la cuisson, ajouter les petits oignons et les rondelles de carottes.
Laisser cuire le tout pendant 1 h 30 à feu doux et dégraisser la sauce avant de servir.

Choucroute

POUR 6 PERSONNES

2,5 kg de choucroute
125 g de saindoux
10 g de poivre en grains
10 g de poivre moulu
Gros sel
25 g de baies de genièvre
15 cl de vin blanc
600 g de jarret de porc
6 saucisses de Francfort
6 saucisses blanches au cumin
12 pommes de terre

Laver abondamment la choucroute à l'eau froide, la presser et la démêler avec beaucoup de soin, puis la sécher dans un torchon.
Déposer la choucroute dans un plat de cuisson.
Mouiller avec le vin blanc.
Ajouter le saindoux. Saupoudrer avec les baies de genièvre, les deux poivres et le gros sel.
Faites cuire 1 h 30, à couvert et à feu doux, puis incorporer à la préparation le jarret de porc.
Encore 1 h de cuisson, toujours à feu doux.
Ajoutez les saucisses et les pommes de terre préalablement épluchées.
Laisser cuire le tout à couvert pendant 30 mn.

LE MILLE-FEUILLE DALLOYAU

DALLOYAU, à Paris depuis 1802

POUR 10 PERSONNES

Pâte feuilletée
19 cl d'eau froide
7 g de sel de Guérande
155 g de farine ordinaire
155 g de farine de gruau
80 g de beurre fin juste fondu
5 g de sucre de canne en poudre
5 g de vergeoise
1 blanc d'œuf

Crème pâtissière
1/2 l de lait frais entier
5 cl de crème fraîche
125 g de sucre en poudre
3 jaunes d'œufs frais
1 œuf entier très frais
65 g de Maïzena
1 gousse de vanille grattée
40 g de beurre
1,5 cl de rhum brun des Antilles

Finition : sucre glace, amandes glacées au sucre

Pâte feuilletée
Tamiser les deux farines et faire une fontaine dans une jatte. Verser au centre l'eau contenant le sel dissous et mélanger progressivement, ajouter le beurre fondu, pétrir (la pâte doit être lisse et souple), rouler la pâte en boule, strier le dessus avec la pointe d'un couteau, recouvrir d'un linge et laisser reposer à température ambiante. Sortir le beurre du réfrigérateur ; 1 h plus tard, le saupoudrer d'un peu de farine, l'assouplir en le tapant à l'aide d'un rouleau et l'étaler en un carré d'1,5 cm d'épaisseur. Abaisser la pâte en carré un peu plus grand que le carré de beurre, poser le carré de beurre sur l'abaisse de pâte en diagonale, refermer la pâte en repliant les coins opposés deux à deux. Allonger ce pâton au rouleau en un rectangle, le replier en trois pour revenir au carré (1er tour) – répéter l'opération pour donner un 2e tour, laisser reposer 1 h – donner deux autres tours – laisser reposer 1 h.
Étaler la pâte feuilletée en une abaisse carrée de 45 cm et de 2 à 3 mm d'épaisseur, piquer la surface à la fourchette, découper quatre ronds de 22 cm, les humidifier au blanc d'œuf et les saupoudrer légèrement de vergeoise mélangée au sucre de canne en poudre, laisser reposer 1 h au frais. Préchauffer le four à 180 °C (th 6), beurrer deux plaques à four, humidifiées au pinceau, déposer dessus les abaisses, enfourner – laisser cuire 30 mn – repiquer la pâte si nécessaire. Sortir les fonds couleur blond doré légèrement cristallisés.

Crème pâtissière
Faire bouillir d'une part la crème fraîche, d'autre part le lait avec la gousse de vanille fendue et 100 g de sucre. Fouetter l'œuf, les jaunes et le sucre restant. Quand le mélange est blanc, incorporer la Maïzena, mélanger la crème au lait bouillant, retirer la gousse de vanille. Prélever un tiers de ce mélange et l'incorporer à la préparation aux œufs en fouettant, verser le tout dans le reste du lait et faire cuire 1 mn à feu modéré en fouettant. Quand la crème est lisse, la verser dans une jatte froide. Passer le beurre sur la surface de la crème, incorporer le reste du beurre travaillé en pommade et le rhum à la crème lorsqu'elle est refroidie.

Amandes glacées
Faire un sirop avec 250 g de sucre en poudre et 15 cl d'eau, donner un bouillon. Verser dans le bouillon 150 g d'amandes effilées, monter à ébullition et couper le feu. Répéter l'opération deux fois à 1 h d'intervalle. Égoutter soigneusement les amandes sur une grille, les étaler sur une plaque et les passer au four à 220 °C (th 7) pendant 15 à 20 mn en les remuant toutes les 5 mn.

Montage
Prendre un fond de feuilletage (côté sucré vers le haut), le garnir de crème pâtissière à l'aide d'une poche. Poser le 2e fond et répéter l'opération. Poser le 3e fond. Chemiser le tour du mille-feuille avec le reste de la crème pâtissière à la spatule. Coller les amandes tout autour. Poudrer le dessus avec du sucre glace très régulièrement.

LIPP

La Coupole

L'art en marche

C'EST UN MISÉRABLE TAS DE GRAVATS issus du creusement des catacombes qui a donné son nom à Montparnasse, une butte en équilibre instable sur un sous-sol miné par les galeries. Une fois pour toutes, ce quartier-là emprunte les chemins de l'ironie et cultive la démesure, à l'endroit et à l'envers. Il est volontiers irrévérencieux. Innovateur et anticonformiste aussi, à l'image de ces jolies filles de l'entre-deux-guerres qui, nuque rase, y dansaient le fox-trot, le charleston et la rumba plutôt que la valse. Ou, plus tard, de sa fameuse tour, dite de Babel, dont la carcasse de verre, de béton et d'acier fit entrer Paris dans une ère architecturale nouvelle à la fin des années 1970. Visible à dix kilomètres à la ronde, elle constitua longtemps, avec ses 200 mètres de hauteur, le plus grand immeuble de bureaux de toute l'Europe. À chaque époque son phare. Les Années folles en eurent un autre : la *Coupole*.

Dans les années 1980, la partie inférieure des piliers de la *Coupole*, peinte et repeinte, a enfin retrouvé sa teinte vert olive originelle.

Au début du XXe siècle, Montparnasse fut colonisé par des artistes émigrés de Montmartre, comme Modigliani, Utrillo, Guillaume Apollinaire ou Max Jacob, des réfugiés politiques, mais aussi, pour reprendre la célèbre expression de Gertrude Stein, par cette « génération perdue » née des atrocités de la Grande Guerre, Ernest Hemingway en tête. Trotski croise Foujita, Soutine trinque avec Picasso. La rue Saint-Vincent est morte, vive le boulevard du Montparnasse ! Personne ne sait encore qui sera qui, dans ce creuset artistique et politique où se dessine un monde nouveau, en même temps que, chaque soir, rebondit la fête. Le dollar est à douze francs, et, pour les Américains, l'alcool, qu'on leur interdit de boire chez eux, est d'autant plus délectable que bon marché. Ils se bousculent dans les brasseries, toutes les nuits surprises en flagrant délire. La *Coupole* est de celles-là. On y afflue du Connecticut ou du Michigan pour peindre et pour écrire dans ce Paris libertaire et de bonne humeur. Pour vivre surtout. Là encore, son nom, choisi pour titiller les brasseries voisines, le *Dôme* et la *Rotonde*, apparaît comme un pied de nez aux institutions de tout poil, passées et présentes. Beaux-frères et associés pour le meilleur et pour le pire, Ernest Fraux, l'Aveyronnais, et René Lafon, le Parisien, ont fait leurs premières armes au *Dôme*, comme gérants. Ils jettent les bases de la *Coupole* en 1926, sur le site du dépôt de bois et charbon Juglar : 800 m^{2} au carrefour des

boulevards Raspail et du Montparnasse. Elles sont fragiles : le terrain est un gruyère. Le pire l'emporte d'abord sur le meilleur, et l'entreprise provoque les lazzis de la concurrence, trop heureuse de voir, au propre comme au figuré, la future plus grande brasserie de Paris au bord du gouffre.

Les piliers de la renommée

L'obligation, pour les architectes Barillet et Le Bouc, de renforcer les fondations et de soutenir l'ensemble de l'édifice par vingt-quatre piliers qui traversent la salle, annihile le projet originel : celui d'un hymne au gigantisme, avec la création d'un immense espace sans entraves pour un pied hésitant ni pour un œil gourmand. Paradoxalement, ce sont ces deux douzaines de colonnes empêcheuses de tourner en rond qui vont contribuer à la notoriété du lieu et lui permettre de passer à la postérité. C'est que l'habillage de leur partie supérieure, qui a été confié aux meilleurs élèves de Fernand Léger et Henri Matisse, joue avec un extraordinaire talent de toutes les couleurs de l'Art déco. Les miroirs biseautés dans lesquels elles se mirent ne se contentent pas de refléter leur image. Illuminés de ses féconds excès, c'est tout le mythe Montparno qu'ils renvoient.

La légende veut que les peintres, trente-deux au total, aient bénéficié d'un crédit de boisson illimité en retour de leur travail. À la *Coupole*, on s'est toujours méfié de l'eau. Lors de l'inauguration de l'établissement le 20 décembre 1927, les bouchons de champagne sautèrent par milliers. Curnonsky, célèbre gastronome de l'époque (1,85 m et 120 kg), se félicita haut et fort de la date choisie pour l'événement, car, dit-il entre deux coupes, « le vin (le 20 !) dissipe la tristesse ». Les Solvet père et fils, responsables de la décoration du lieu, virent d'entrée les nombreuses

Lors d'une grande fête donnée pour son 70e anniversaire, l'établissement a rendu hommage aux artistes qui le décorèrent.

possibilités qu'il offrait à l'expression de leur savoir-faire : « Tout est sujet à l'étude, la mosaïque, la lumière, les galeries porte-chapeaux, les chaises, les tables, les meubles, les lambrequins, les assiettes, les menus même ! Quel champ immense pour le décorateur ! »
Et quelle réussite, scellée dès la première nuit d'existence de ce lieu aussitôt incontournable. Au fil des années, la *Coupole* s'enrichit d'un dancing au sous-sol et d'un restaurant à ciel ouvert à l'étage : la *Pergola* ; sur sa terrasse, on jouait à la pétanque. Elle se coiffe aussi d'une mosaïque de pavés de verre, qui gomme les frimas parisiens et, du même coup, justifie son enseigne. L'établissement traverse les années avec un succès commercial enviable. L'occupation allemande l'égratigne, mais il trouve un second souffle dans les années 1950. Il est alors régulièrement fréquenté par les intellectuels, les professions libérales, les touristes américains admirateurs de Pound, Faulkner ou Miller, dont les mannes hantent l'endroit. Le temps, hélas, vient à bout de la vitalité de ses géniaux fondateurs, Fraux et Lafon, restés si longtemps à la barre. En 1985, la *Coupole* est à vendre. Elle échappe de peu à l'appétit des spéculateurs immobiliers. Rêve éveillé : si, aujourd'hui, nous pouvons toujours y partager la salade aux figues et foie gras poêlé avec Jean-Paul Sartre, l'agneau au curry avec Elsa Triolet, les profiteroles au chocolat chaud avec Soutine et la fricassée de poulet de Bresse avec Kiki de Montparnasse et Man Ray réunis, c'est qu'un homme hors du commun a sauvé ce théâtre de la vie culturelle de Paris, où le temps est aboli à mesure même qu'il s'écoule. Il s'appelle Jean-Paul Bucher. Cet industriel alsacien, originaire de Molsheim et fondateur du groupe de restauration Flo, nourrit une véritable passion pour les brasseries, du moins pour les plus prestigieuses d'entre elles. À quatorze ans, il entre comme apprenti à l'hôtel du Parc de Mulhouse. Quarante ans plus tard, en 2005, il cède un véritable empire culinaire au milliardaire belge Albert Frère, fort de 150 établissements et employant 5600 personnes de par le monde.

La renaissance

La *Coupole*, inscrite à l'inventaire des Monuments historiques en 1981 et classée en 1988, croise le chemin conquérant de Jean-Paul Buchet. Une grande éclaircie succède aux giboulées. C'est lui qui va rendre sa décoration primitive à cette brasserie qui rouvre ses portes en 1988, après huit

Si le curry d'agneau à l'indienne apparaît comme le cheval de bataille de la *Coupole*, la brasserie n'en néglige pas pour autant les douceurs.

5
30
juin
Le plaisir tout

mois de travaux de restauration conduits par Marie-Lys de Castelbajac et Michel Bourbon. Certains habitués s'en plaignent amèrement : ils ne reconnaissent plus « leur » *Coupole.*
C'est qu'elle avait beaucoup changé au fil des décennies, et pas forcément en bien. Ainsi ses piliers avaient-ils été repeints en rouge grenat après-guerre. Jean-Paul Buchet va leur rendre leur couleur verte d'origine, comme il restituera leur blondeur aux boiseries de citronnier et leur éclat aux frises géométriques. Ou comme il replacera le célèbre bar à sa place initiale, à gauche de l'entrée. Les œuvres des peintres Guillaume Guindet, Pierre Girieud, Jean Lombard, Othon Friesz, Isaac Grünewald ou Marie Vassilieff, remises en lumière, vivent soudain une seconde jeunesse. Reste qu'à l'inverse des murs, l'air du temps ne se restaure pas. La *Coupole* s'est assagie. Entre ses piliers, le brouhaha des conversations et le fracas des verres ont baissé de plusieurs tons depuis les Années folles. Elle apparaît bien loin de l'évocation qu'en faisait Léon-Paul Fargue dans *Le Piéton de Paris* : « Tel poète obscur, tel peintre qui veut réussir à Bucarest ou à Séville, doit nécessairement, dans l'état actuel du Vieux continent, avoir fait un peu de service militaire à la *Rotonde* ou à la *Coupole*, deux académies de trottoir où s'enseignent la vie de bohème, le mépris du bourgeois, l'humour et la soûlographie. » Qu'on y prenne le petit déjeuner à la terrasse, l'apéritif au bar, le déjeuner à la brasserie ou le dîner dans la grande salle de restaurant, la bonne tenue et le parler châtié sont aujourd'hui de rigueur dans cet établissement dont, depuis longtemps, les rupins ont bouté les rapins.
La *Coupole*, pour reprendre le mot de René Héron de Villefosse, « est devenue un monument de Paris aussi solide que la colonne de Juillet ». Elle demeure néanmoins un lieu privilégié de rencontres, de discussions et d'échanges, tout empreint de l'âme artistique de la capitale. À deux pas lui répondent, dans le même registre, de beaux ateliers d'artistes, rue Campagne-Première, boulevard Raspail, boulevard du Montparnasse, et, surtout, au numéro 21 de l'avenue du Maine : une allée pavée, des vitres géantes qui disparaissent sous les clématites, la vigne vierge, le chèvrefeuille, et qui dispensent un soupçon de rêve dans la vie quotidienne. Une impasse ? Non : le pays des beaux étés de Cendrars, Matisse, Léger, Chagall. Et des nôtres aussi, avant d'entrer à la *Coupole* ou en la quittant.

En rendant son lustre à un restaurant devenu une institution, J.-P. Buchet a conservé tous ses éléments qui avaient traversé le temps.

Croustillant de cinq gambas aux herbes fraîches

POUR 5 PERSONNES

200 g de tomates
5 belles gambas
1,5 kg de mangue
10 feuilles de brick
400 g de chutney de mangue
Mayonnaise
Huile d'olive
Sel
Curry
40 g de persil plat
40 g d'aneth frais
1 bouquet garni (ciboulette, cerfeuil, basilic, coriandre)

Mettre à mariner les gambas 12 h
dans l'huile d'olive et le curry.
Couper les feuilles de brick en six,
mettre deux triangles de feuille de brick superposés,
les coiffer d'une feuille d'aneth et de basilic,
ainsi que d'une queue de gambas.
Rouler comme un croissant,
clore le tout avec un petit pic en bois.
Faire la mayonnaise au curry.
Dans un rondeau en cuivre, confectionner un caramel
blond et ajouter les mangues, épluchées et coupées
en morceaux.
Déglacer avec du vinaigre blanc et adjoindre
les autres ingrédients.
Laisser cuire à feu doux.
Frire les gambas.
Disposer les croustillants de gambas dans une assiette
avec une quenelle de chutney de mangue,
la mayonnaise au curry et le mélange d'herbes fraîches.

Salade au foie gras et figues sèches

POUR 4 PERSONNES

1 salade de jeunes pousses
Haricots verts frais
Échalotes
Magret fumé et gésiers
Noix
Figues sèches
Foie gras de canard (100 g)

Assaisonner la salade de jeunes pousses
avec des échalotes ciselées.
Disposer les haricots verts au centre de l'assiette.
Placer les lamelles de magret fumé autour
(5 tranches fines) et les gésiers coupés.
Parsemer avec quelques cerneaux de noix
et la julienne de figues sèches.
Ajouter une tranche (25 g par personne)
de foie gras de canard.

Fricassée de poulet bio aux écrevisses

POUR 4 PERSONNES

4 écrevisses vivantes
1 poulet jaune bio
Huile de tournesol
Beurre
Ciboulette
Bouquet garni
Riz basmati

Découper la volaille en huit morceaux.
Faire colorer très légèrement et très lentement la volaille.
Mouiller et cuire dans la sauce les écrevisses lentement (un quart d'heure environ), afin que la crème enrobe la chair.
Cuire le riz basmati.
Ajouter du beurre fondu, assaisonner avec un peu de ciboulette ciselée.
Dresser avec un moule en aluminium.
Napper de sauce écrevisse.

Le fameux curry d'agneau à l'indienne, depuis 1927

POUR 6 PERSONNES

2,1 kg d'épaule d'agneau désossée
300 g de riz long
240 g de pomme golden, 1 banane
2 gousses d'ail, 1 oignon
1 grosse tomate
1 bouquet garni (thym, laurier, persil)
10 g de noix de coco en poudre
5 cuillères à soupe d'huile de tournesol
1 cuillère à soupe de farine
30 cl de jus d'agneau (en épicerie fine)
30 g de curry, 5 g de paprika
240 g de chutney de mangue
Sel

Les achards
200 g de chou-fleur
1 carotte
10 g de haricots verts
1/4 d'orange, 1/4 de citron jaune
2 cuillères à soupe d'huile de tournesol
2 cuillères à soupe de vinaigre d'alcool
3 g de curry, 1 piment, 1 g de paprika, 1 g de gingembre

Couper l'épaule d'agneau en cubes.
Faire revenir ces derniers dans une cocotte, à l'huile bien chaude, sans trop de coloration. Ajouter l'oignon ciselé, les pommes et la banane pelées et coupées en morceaux, l'ail haché, le curry, le paprika et la noix de coco.
Saler, puis laisser compoter 10 mn.
Saupoudrer de farine pour lier la sauce. Mélanger.
Verser le jus d'agneau et un litre d'eau.
Ajouter le bouquet garni. Couvrir et laisser mijoter 1 h 30.
Retirer les morceaux d'agneau et le bouquet garni.
Mixer la sauce. Ajouter une poêlée de pommes, puis la tomate concassée. Continuer la cuisson à feu très doux jusqu'au moment de servir.
Parsemer d'herbes fraîches.
Cuire le riz.
Faire les achards. Émincer le chou-fleur et la carotte. Faire bouillir l'huile, le vinaigre, l'orange et le citron coupés en petits quartiers, puis confire doucement chou-fleur, carotte et haricots verts, ainsi que les condiments, jusqu'à ce que les légumes soient bien moelleux. Laisser refroidir.
Servir bien chaud la viande et sa sauce, accompagnées du riz. Servir les achards et le chutney de mangue à part.

Profiteroles au chocolat

POUR 6 PERSONNES

1,5 l de glace vanille

La pâte à choux
20 cl de lait demi-écrémé
80 g de beurre
5 œufs + 1 jaune
165 g de farine
2 cuillères à café de sucre en poudre
1 pincée de sel

La sauce au chocolat
300 g de chocolat pâtissier à 64 % de cacao
10 g de beurre
30 cl de lait
12 cl de crème fleurette
60 g de sucre en poudre

Préchauffer le four à 180 °C.
Préparer la pâte à choux. Faire chauffer le lait avec le sel, le sucre et le beurre coupé en cubes.
Lorsque le lait est bouillant, verser la farine en pluie et bien mélanger à la spatule en bois pour dessécher la pâte, jusqu'à ce que cette dernière se décolle du récipient.
Verser la pâte dans un grand bol et incorporer les œufs entiers un à un pour obtenir une pâte bien lisse et homogène.
À la poche à douille, dresser des tas de pâte sur la plaque du four tapissée de papier sulfurisé, dorer au jaune d'œuf dilué dans un peu d'eau et enfourner pour 20 mn.
Préparer la sauce au chocolat.
Mettre à bouillir le lait avec la crème, le beurre et le sucre.
Ajouter le chocolat, puis laisser fondre quelques instants avant de fouetter.
Porter à ébullition tout en fouettant. Réserver.
Couper les choux aux deux tiers, puis les toaster sous le gril du four. Les farcir de glace à la vanille et les arroser de chocolat chaud.

GALLOPIN

Les secrets de la corbeille

« LES ACHATS SE MULTIPLIÈRENT, s'allumèrent de toutes parts, à la coulisse, au parquet ; on n'entendait plus que les voix de Nathansohn sous la colonnade, de Mazaud, de Jacoby, de Delarocque à la corbeille, criant qu'ils prenaient toutes les valeurs, à tous les prix ; et ce fut alors un frémissement, une houle croissante. Les fronts ruisselaient de sueur, l'implacable soleil qui tapait sur les marches mettait la Bourse dans un flamboiement d'incendie ».

Le palais Brongniart est le théâtre de plusieurs volumes des *Rougon-Macquart*, l'œuvre magistrale d'Émile Zola. Qui, mieux que cet écrivain, a mis en scène le mécanisme naissant de la spéculation capitaliste, les fortunes qui s'y sont forgées et les ruines qui leur ont succédé ? De nos jours, l'informatisation des marchés et leurs transactions virtuelles ont fait un désert de ce temple financier autrefois grouillant de vie, source de tant de rêves et d'autant de désespoirs. Voulue par Napoléon Ier, l'ex-Bourse des valeurs ne retentit plus des clameurs des commis sous son plafond peint par Alexandre Denis Abel de Pujol, ni des pas accélérés des grouillots sur son parquet usé. Son élégante façade néoclassique, elle, toise encore une poignée de restaurants qui lui doivent leur succès. Gens d'habitude, à la recherche de certitudes dont leur métier se montre avare, les financiers les fréquentent toujours.

Derrière le bar en acajou, l'un des plus beaux de Paris, Sébastien Alexandre, fils de Georges qui régna sur *Bofinger* et *Lapérouse*.

POMMERY
POMMERY
JAMESON
51

La Bourse et la vie

La brasserie *Gallopin*, dont la cuisine, à l'inverse du CAC 40, s'inscrit régulièrement à la hausse, compte parmi les restaurants préférés des financiers. Il faut dire que son histoire se confond avec celle de ce palais Brongniart au nom dissonant, qui est celui de son architecte. Dans la première moitié du XXe siècle, les boursiers célébraient chaque jour leurs coups heureux chez *Gallopin*, dès qu'à 14 heures sonnait la cloche indiquant la fin des échanges. Ils n'avaient qu'à traverser la rue pour sabler le champagne, et ne s'en privaient pas. Après les cabarets, c'était l'établissement parisien où se consommait le plus de vin à bulles ! À tel point que, face au bar, la direction avait installé une baignoire en zinc emplie de glace à ras bord, pour conserver les bouteilles au frais. En 1974, à la mort du président de la République Georges Pompidou, une succession de grèves secoua le marché de l'or et interrompit ses cotations officielles. Qu'à cela ne tienne. Une fois de plus, les hommes de l'art changèrent de trottoir. Confortablement installés chez *Gallopin*, ils y poursuivirent leurs tractations, inscrivant les cours du métal précieux sur les miroirs de la brasserie. Entre les huîtres fines de claires et le tartare de bœuf haché à la commande, circulaient les lingots, tandis qu'haut et fort, on en énonçait des cotes de table en table.

Par la qualité de son service, l'un de ses points forts, *Gallopin* s'apparente plus à un restaurant classique qu'à une brasserie ordinaire.

Gallopin, succursale de la Bourse ? On le croirait d'autant plus volontiers qu'est inscrit sur son enseigne : *Stock Exchange Luncheon Bar*. C'est que le fondateur de la maison, Gustave Gallopin, grand voyageur à la chevelure dense et bouclée, a épousé une Anglaise, issue d'une riche famille de commerçants, les Wyborn, propriétaires de magasins d'alimentation à succursales multiples. Son anglophilie ne se limite pas à sa vie privée. Quand, le 1er septembre 1876, il acquiert un petit débit de bière et de vin au détail au numéro 40 de la rue Notre-Dame-des-Victoires, les projets qui tournent dans sa tête ont des parfums d'outre-Manche. Des États-Unis aussi. C'est que, en homme d'affaires avisé, Gustave a senti l'engouement grandissant qu'éprouve l'Europe pour l'Amérique. Il fait réaliser à Londres le décor de l'établissement qu'il projette d'ouvrir, et à New York sa porte tournante, remplacée plus tard par une porte à battants pour des raisons de sécurité. Lors de l'inauguration de la brasserie, les Parisiens étonnés découvrent un plafond généreusement mouluré de couleur crème, comme on en voit dans les pubs, mais aussi un bar monumental

et des boiseries purement victoriennes en acajou de Cuba. Du bois sombre et des lumières douces transsudent une ambiance en demi-tons qui ne leur est guère familière. Très vite, elle les enchante.
Le premier *anglo-american bar* de Paris est né, et, avec lui, le fameux « gallopin » de bière, inventé par le propriétaire et connu aujourd'hui dans le monde entier (20 cl au lieu de 25 cl pour le classique « demi »). Le liquide ambré est servi dans une chope en argent, qui lui garde ses saveurs et sa fraîcheur. Une tradition toujours en vigueur de nos jours. À l'occasion de l'Exposition universelle de 1900, la maison s'agrandit en annexant une partie de la cour intérieure. Elle s'enrichit d'une coupole à motifs floraux et d'une grande verrière coulissante, source d'une lumière qu'un astucieux jeu de miroirs projette à l'infini à travers l'établissement et qui rebondit jusque sur le cuivre des porte-chapeaux et sur les tulipes de verre des lustres.

Une affaire de familles

Légitimement satisfait de son œuvre, Gustave Gallopin, désireux de courir d'autres aventures, passe la main au Savoyard Camille Aymonier, marié avec la fille d'Alfred Boullant, le grand homme des hôtels et des casinos de Biarritz. La maison se développe de plus belle. Toujours plus nombreux, les boursiers y échangent leurs tuyaux et y trinquent à leurs plus-values à l'abri de ses vitraux, dans une atmosphère *very british* revue et corrigée par quelques débordements de langage très français ! Selon l'importance de leur fonction et la grosseur de leurs portefeuilles de gestion, ils se partagent le « Grand bar » et le « Petit bar » ; dans le premier, on vide des flûtes, dans le second, des bocks. Après la dernière guerre, et tandis que les journalistes de l'agence France-Presse, venus en voisins, commencent à disputer le terrain aux financiers, quatre familles se succèdent à la tête de *Gallopin* : les Vilain, Grach, Wagrez et Alexandre. Ce sont ces derniers qui, en 1997, entreprendront une minutieuse restauration de cette adresse à la fois joyeuse et feutrée, et lui rendront, avec autant de compétence que d'amour, son lustre d'antan, avant de confier les clés de la maison à leur fils Sébastien. Le monde du spectacle la marque d'une pierre blanche, et, à sa clientèle « historique », s'ajoutent, selon les soirs, les têtes connues de Francis Huster, Pierre Arditi, Daniel Auteuil, Bernard Giraudeau, Laspales et Chevalier, Emma de Caunes, Michel Boujenah, Jean-Paul Belmondo ou Evelyne Bouix. Feuilleter son livre d'or, c'est

Beaucoup de comédiens célèbres ont leur rond de serviette dans cette maison qui fut d'abord le bastion des boursiers et des banquiers.

revivre quelques-unes des grandes heures du théâtre et du cinéma français. Les quelques mots qu'y abandonna l'actrice et chanteuse Suzy Delair en 1999 comptent parmi les plus émouvants de tous : « J'aime, j'aime, j'aime, et quand j'aime, j'aime ! À toujours si Dieu le veut. Lady Paname. » Comme le fait remarquer l'un des chefs de rang de la maison, « si les spécialités servies chez *Gallopin* appartiennent au répertoire de la brasserie, le service, lui, s'inspire davantage des pratiques du restaurant, notamment avec certains plats qui sont parés à la demande ». Une brigade de quatorze personnes s'active aux fourneaux. En sortent ces grands classiques que sont le foie gras de canard, le gratin d'œufs pochés aux écrevisses, le bar grillé, la sole meunière, le pot-au-feu de paleron, la piccata de veau au marsala, les grillades, les crêpes *Alexandre*, le baba au rhum *Gallopin*. Les crustacés et les fruits de mer témoignent d'une variété et d'une fraîcheur exceptionnelles. Quant à la réputation de l'andouillette à la ficelle, servie avec des pommes frites et une sauce à la moutarde, elle a, depuis longtemps, dépassé les frontières de l'établissement. Tendre et onctueuse, elle vient de Troyes, l'une des grandes capitales de la charcuterie française. À chaque bouchée, on pense à l'hymne que lui dédia Charles Monselet, journaliste, poète, dramaturge et romancier, que ses contemporains du XIXe siècle avaient surnommé le « roi des gastronomes » : *Dédaignons la mouillette/Et la côte au persil/Crépine sur le gril/Ô ma fine andouillette/Certes, ta peau douillette/Court un grave péril/Pour toi, ronde fillette/Je défonce un baril/Siffle, crève et larmoie/Ma princesse de Troyes/Au flanc de noir zébré/Mon appétit te garde/Un tombeau de moutarde/De Maille ou du Vert-Pré.*

Filtrant la lumière, verrière et vitraux 1900 plongent *Gallopin* dans une atmosphère feutrée, encore réchauffée par les bois précieux.

Remarquablement situé entre les Grands Boulevards et la Seine, à mi-chemin de l'Opéra et du Louvre, dans un quartier qui marie, avec une formidable maestria, les mondes des affaires et du spectacle, *Gallopin* fait flotter haut le drapeau des brasseries parisiennes. Cette maison sur laquelle passe un beau courant d'air de bonheur est aux mains d'une famille et non d'un groupe, une exception dans ce type de restauration. Ses soupières d'argent apparaissent comme autant de blasons gourmands, et la tenue 1900 de ses serveurs, dont certains virevoltent ici depuis plusieurs décennies, affiche une louable volonté de défendre bec et ongles la tradition. Visiblement, la clientèle est reconnaissante à *Gallopin* de sortir des rêves de ses casseroles comme le prestidigitateur des lapins de son chapeau. Elle ne désemplit pas.

PALAIS-ROYAL
CHEVALLIER ET LASPALES
MONSIEUR CHASSE!

Gratin d'œufs pochés aux écrevisses

POUR 10 PERSONNES

10 œufs
50 écrevisses
400 g de pleurotes
700 g de crème liquide
300 g de parmesan
1 dl de vin blanc sec
Beurre
Huile d'olive
Cognac
Échalotes, persil

Pocher les œufs. Étuver les pleurotes au beurre
avec échalotes et persil hachés.
Faire revenir les écrevisses fraîches dans l'huile d'olive
avec une pointe d'échalote.
Flamber au cognac.
Déglacer avec 1 dl de vin blanc sec.
Mouiller avec la crème liquide.
Cuire à couvert pendant 5 mn,
puis séparer la tête de la queue des écrevisses.
Conserver les têtes dans la sauce,
puis mixer le tout.
Laisser cuire 10 mn.
Passer au chinois étamine.
Réserver la sauce.
Disposer les pleurotes dans un plat à gratin.
Ajouter les œufs pochés, les queues d'écrevisses
décortiquées, puis napper le tout avec la sauce.
Saupoudrer de parmesan râpé.
Gratiner au four (230 °C).

Foie gras maison

POUR 10 PERSONNES

1 kg de foie gras de canard
15 g de sel
12 g de sucre
3 g de poivre
5 cl de cognac

Dénerver le foie gras et l'assaisonner.
Le cuire au four sur une plaque pendant 10 mn (160 °C).
Le placer ensuite dans une terrine chemisée de papier film.
Servir avec un pain Poilâne toasté (tranche de foie gras
d'environ 90 g par personne).

GALLOPIN

POT-AU-FEU DE PALERON ET SES LÉGUMES EN RAVIGOTE

POUR 10 PERSONNES

2,5 kg de paleron
Persil haché
Gros sel, poivre
Pour la cuisson de la viande
2 carottes
2 verts de poireaux,
1 oignon,
1 branche de céleri
Thym et laurier
Légumes d'accompagnement : carottes, pommes de terre, navets, blancs de poireaux, céleri branche.

Cuire le paleron à l'eau, avec les légumes, thym et laurier, plus gros sel et poivre.
Cuisson à ébullition moyenne, 6 h environ (1 h 30 à la Cocotte-Minute).
La cuisson est terminée quand la pointe du couteau pénètre la viande sans résistance.
Récupérer l'eau de cuisson et y cuire les légumes d'accompagnement.
Au centre de l'assiette, dresser une tranche de paleron, disposer les légumes dessus, napper copieusement avec une sauce ravigote, parsemer avec du persil haché.

La sauce ravigote
30 g de moutarde
1 dl de vinaigre de vin
4 dl d'huile de colza
2 jaunes d'œufs

Émulsionner les ingrédients au fouet.
Rajouter cornichons, oignons, estragon et cerfeuil hachés, câpres, ciboulette ciselée.

PICCATA DE VEAU AU MARSALA ET CHAMPIGNONS SUR GÂTEAU DE COQUILLETTES

POUR 8 PERSONNES

1,3 kg de quasi de veau épluché
240 g de champignons de Paris
1 l de crème liquide
5 cl de marsala
500 g de coquillettes
150 g de gruyère râpé
30 g de beurre frais
1 échalote
Ciboulette

Poêler très doucement le quasi de veau au sautoir (cuisson à cœur). Cuire les coquillettes à l'eau.
Faire réduire 400 g de crème avec le gruyère râpé, en fouettant pour obtenir un appareil assez lisse.
Rajouter les coquillettes et laisser compoter.
Débarrasser la viande, et faire revenir les coquillettes dans le sautoir, avec les champignons de Paris émincés et une pointe d'échalote hachée.
Déglacer au marsala.
Ajouter le restant de la crème. Réduire à consistance.
Monter la sauce au beurre.
Disposer les coquillettes dans un cercle à entremets individuel (10 cm de diamètre sur 4,5 cm de hauteur).
Couper le quasi en fines tranches et les déposer sur les coquillettes.
Napper avec la sauce aux champignons, retirer le cercle, décorer avec de la ciboulette ciselée.

BABA AU RHUM GALLOPIN

POUR 20 PIÈCES

400 g de farine
20 g de levure de bière
80 g d'eau
10 g de sel
40 g de sucre
5 œufs
200 g de beurre pommade

Dans le batteur, mélanger eau tiède et levure de bière, puis verser la farine. Mélanger les œufs, le sel et le sucre, puis incorporer à la préparation précédente.
Mélanger le tout dans le batteur pendant environ 10 mn, pour donner du corps à l'ensemble. Ajouter le beurre, puis mélanger à nouveau pendant 7 à 10 mn.
Débarrasser la pâte dans un bac en plastique pour lui permettre de bien lever. Couvrir d'un linge et laisser lever pendant 45 mn (le volume de la pâte doit doubler).
Casser la pâte avec les mains, en la battant.
Faire des morceaux de 40 g et placer ces derniers dans des moules à baba beurrés.
Laisser reposer à température ambiante.
Quand la pâte a doublé de volume, cuire à 160 °C pendant 20 mn ou 25 mn. Laisser refroidir.

Le sirop :
2,5 l d'eau
1,25 kg de sucre
0,5 l de rhum
Zestes d'oranges (4 fruits) et de citrons (4 fruits)

Faire bouillir l'eau et le sucre.
Ajouter les zestes.
Cuire 10 mn à petite ébullition.
Ajouter le rhum, faire bouillir pendant 5 mn.
Débarrasser et laisser refroidir à température ambiante.
Quand le sirop est à 60 °C, y placer les babas, pour qu'ils s'imbibent.
Dresser les babas dans une assiette creuse, ajouter de la crème Chantilly et servir avec du rhum.

Le Grand Colbert

À la « une »

De toute évidence, le Paris du XIXe siècle exécrait la pluie. Sinon, pourquoi ses édiles auraient-ils mis hors d'eau le centre de la ville ? Des Halles aux Grands Boulevards naquirent ainsi des chemins sinueux qui, coiffés de verrières, permettaient d'aller à pied sec et à mise en plis sauvegardée d'une rue à l'autre. Selon les gazettes de l'époque, ils témoignèrent, d'entrée, d'une animation constante, faite de « gazouillements et de gaieté folle » dans le foisonnement des commerces, des froufrous et des cancans. À leur apogée, ils furent plus de cent cinquante, et leur modèle s'exporta avec succès vers d'autres villes de France. Aujourd'hui, ces galeries et ces passages couverts cultivent une flânerie surannée, à l'écart de la fureur urbaine et des traditionnels itinéraires touristiques. Récemment tirés d'une injuste désuétude, beaucoup d'entre eux ont été réhabilités avec soin, comme le passage du Grand-Cerf, qui relie la rue Saint-Denis à la rue Dussoubs, ou le passage des Panoramas, voulu par le duc de Montmorency pour assurer une sortie à son hôtel particulier. Ces « couloirs dérobés au jour », pour reprendre la belle expression du poète et romancier Louis Aragon, constituent un monde à part, tout de peintures allégoriques, de rotondes, de boiseries, de mosaïques et de cuivres. Dans une pénombre complice, ils inventent des promenades qui comptent parmi les plus originales et les plus émouvantes de la capitale. Il faut s'attarder dans la galerie Véro-Dodat, aux verrières splendides ; elle fut la première éclairée au gaz, en 1826. Dans le passage Jouffroy, qui abrite l'illustre musée Grévin. Dans le passage Verdeau, où Hugo, Musset, Sainte-Beuve fréquentaient un cénacle romantique. Dans la galerie Vivienne surtout, où, au numéro 13, habitait François Vidocq, cet ancien forçat devenu chef de la Sûreté en 1811.

Si la brasserie porte le nom du célèbre ministre de Louis XIV, c'est que J.-B. Colbert, gastronome à ses heures, vécut sur les lieux.

Jack Nicholson se met à table

Inaugurée en 1826, la galerie Vivienne trouva son second souffle en 1986, quand s'y installa le couturier Jean-Paul Gaultier. Véritable hymne au commerce, sa décoration néoclassique collectionne peintures, sculptures et mosaïques sous son élégante verrière, déesses et nymphes se disputant la meilleure lumière de sa rotonde. Le *Grand Colbert* flirte avec cet univers presque irréel, il s'y enfouit, il s'y love, et s'il n'a jamais totalement succombé au romantisme ambiant, c'est que

COLBERT

l'actualité l'a toujours rattrapé. On ne vit pas impunément au cœur des grands journaux parisiens. Ses voisins immédiats furent longtemps le *Figaro* et *l'Aurore*, et *France-Soir* n'était qu'à quelques pas, pour ne citer que les titres les plus célèbres d'une presse quotidienne alors au zénith. L'encre et le vin ont toujours fait bon ménage, et les journalistes avaient leurs habitudes, souvent bruyantes, dans une salle dont, à l'heure du déjeuner, on ne savait plus très bien si elle était à manger ou de rédaction.

Il y a quelque chose de graphique dans le *Grand Colbert* d'aujourd'hui qui, le soir, cultive une intimité complice à la lumière ronde de ses luminaires. Sous un plafond haut de six mètres, il déroule un comptoir aux lignes épurées et aligne ses tables de part et d'autre d'une allée centrale si longue que les convives du fond de la salle semblent tous manger dans la même assiette ! Son cadre vraiment exceptionnel ne pouvait échapper à l'œil du cinéaste. Il séduisit celui de Nancy Meyers, qui y tourna une scène de *Something's Gotta Give* (*Tout peut arriver*), avec Diane Keaton, Amanda Peet et Jack Nicholson, un film sorti en 2003 aux États-Unis et en 2004 en France.

La contemplation de ses fresques polychromes est un plaisir, la lecture de sa carte un délice. Celle-ci parle avec l'accent de la tradition à travers la soupe à l'oignon gratinée, les escargots de Bourgogne, les filets de hareng pommes à l'huile, les cuisses de grenouilles à l'ail, le moelleux de bœuf de sept heures, le poulet fermier des Landes, l'aile de raie aux câpres ou l'île flottante. Elle y ajoute, brasserie oblige, des huîtres, des praires, des oursins, des crevettes, des langoustines, des moules qui ruissellent de fraîcheur ; ses fines de claires numéro deux et ses belons numéro zéro sont plébiscités par tout ce que Paris compte d'amateurs de fruits de mer. Elle sait aussi se tourner vers l'innovation, voire l'exotisme, comme en témoignent la salade d'agrumes au gingembre, le carpaccio de bœuf au basilic ou les rigatoni aux trois fromages.

Colbert, économiste et gastronome

De l'élaboration du menu à l'exécution des plats, en passant par la qualité de l'accueil et du service, transsude ici un professionnalisme en adéquation totale avec une histoire longue et variée, indissociable de celle de la capitale. C'est que cet établissement au lourd bagage de souvenirs occupe le cœur de Paris, entre la place des Victoires et la Bourse, aux confins des théâtres des Variétés, du Palais Royal, de la Michodière et des Bouffes Parisiennes. Construit en 1637 pour Guillaume Bautru de Serrant, le bâtiment originel fut dessiné par Louis Le Vau, l'un des créateurs du classicisme français ; son plus célèbre ouvrage, excusez du peu, n'est autre que le château de Vaux-le-Vicomte, voulu par Nicolas Fouquet, surintendant des Finances de Louis XIV. Les bases architecturales de la brasserie sont flatteuses. Certains occupants de ce qui était alors un hôtel particulier ne le furent pas moins. Jean-Baptiste Colbert investit les lieux à partir de 1665, l'année même où il est nommé contrôleur général des Finances par le Roi-Soleil. Ce grand serviteur de l'État qui, pendant vingt ans, s'employa à favoriser l'essor du commerce et de l'industrie, est resté dans la mémoire collective comme un économiste doué d'une rare clairvoyance. On sait moins qu'il nourrissait une véritable passion pour les plaisirs de la table. Son officier de bouche, un certain Audiger, est d'ailleurs l'auteur d'un ouvrage dont le titre constitue, à lui seul, tout un programme en matière d'art de vivre : *La Maison réglée et l'art de diriger la maison d'un grand seigneur et autres, tant à la ville qu'à la campagne, et le devoir de tous les officiers et autres domestiques en général*. Ainsi, l'enseigne du *Grand Colbert* se justifie-t-elle doublement.

Le sol en mosaïque du *Grand Colbert*, aux dessins et couleurs complexes, est le même que celui de la fastueuse galerie Vivienne.

En 1719, Philippe d'Orléans, régent du royaume de France pendant la minorité de Louis XV, lui succède dans les lieux. Ceux-ci accueilleront ensuite l'administration des Domaines, avant de disparaître lors de la construction des galeries Vivienne et Colbert. Sous Louis-Philippe, l'établissement que nous connaissons aujourd'hui s'appelle déjà le *Grand Colbert*, mais il s'agit alors d'un immense magasin de nouveautés, dans une ville qui, soudain, sublime avec frénésie la fanfreluche et fait du papotage une langue officielle. Au bonheur des dames ! En 1900, le chic parisien bat en retraite devant le bec fin, et l'adresse épouse la cause de la restauration. Boudant les habits du dimanche, elle bâtit

"la leçon"
La cantatrice chauve mise en scène de Nicolas Bataille
20 H La leçon mise en scène de Marcel Cuvelier
Succès ! Prolongations !
Du 26 mars au 14 juin 2008. Du mercredi au samedi à 21H30 - Loc. 01.43.38.74.62
AKTEON THEATRE 11, rue du Général Blaise Paris 11e - M° St Ambroise ou St Maur
LOCATION : 01 43 35 32 31
France-Soir
TRIOMPHE
21h PALAIS DES GLACES
LOCATION : 01 42 02 27 17
21h
PETITE SALLE
RECEPTION
ACCEPTE PLUS LES
AMERICAN EXPRESS

d'abord sa réputation sur la modicité de ses additions : pendant plusieurs décennies, l'endroit sera considéré comme l'un des « bouillons » les meilleurs marchés de la capitale. Plus ou moins adroitement, il reverra plusieurs fois sa formule et son décor, avant de fermer ses portes. Métamorphose absolue en 1985, sous l'impulsion de la Bibliothèque Nationale, propriétaire des murs, qui le restaure dans ses moindres détails d'origine et en lustre tous les recoins. Ses additions s'envolent, ses sièges s'adoucissent et ses casseroles prennent du style. Le *Grand Colbert* devient alors cette élégante brasserie dont le Tout-Paris court les plats du jour, inscrits à la craie sur une ardoise, et dont les intitulés allèchants, poèmes comestibles, sont démultipliés par les miroirs. De ses pilastres sculptés à ses consoles vernies, de ses panneaux de verre sablé à ses banquettes de velours rouge, son nouveau visage apparaît comme une somme de précieux fragments arrachés au temps qui passe. Rares à Paris, ses peintures de style pompéien, à la manière des artistes romains du Ier siècle av. J.-C. et du Ier siècle ap. J.-C., mériteraient, à elles seules, une visite à cet établissement. Son sol en mosaïque également, puzzle complexe dont les couleurs constituent un véritable hymne à la beauté ; il est identique à celui que G. Faccina réalisa pour sa voisine immédiate, la galerie Vivienne. Dans ce décor quasiment théâtral, où le cuivre du bar brille comme l'or, se croisent aujourd'hui comédiens, mannequins, journalistes, créateurs, hommes d'affaires, gens du cinéma, touristes, plus un noyau d'habitués anonymes, venus de tous les horizons et qui n'auraient su trouver port d'attache plus séduisant. Cette clientèle éclectique, si caractéristique de l'esprit même des brasseries, ajoute encore au charme du *Grand Colbert*, classé Monument historique et qui, dans la forêt de ses candélabres et de ses plantes vertes, apparaît comme un monde en soi. Il s'inscrit à la perfection dans son temps, mais, pour notre plus grand bonheur, ce sont les lumières de la nostalgie qui l'éclairent.

Des affiches d'époque témoignent de la proximité de nombreux théâtres, dans un décor rutilant entièrement restauré en 1985.

CUISSES DE GRENOUILLES À LA PROVENÇALE

POUR 6 PERSONNES

60 belles cuisses de grenouilles fraîches
300 g de beurre
1 tête d'ail épluché
1 botte de persil plat finement haché
3 tomates moyennes coupées en deux
200 g de chapelure
100 g de farine
150 ml d'huile d'olive
Fleur de sel et piment d'Espelette

Préparer la persillade en mélangeant le persil et l'ail hachés, puis en prélever les trois quarts pour les mêler à la chapelure et à 150 ml d'huile d'olive. Disposer sur les tomates assaisonnées, puis emmener au four pendant 7 mn à 170 °C.
Préchauffer un sautoir avec de l'huile d'olive.
Assaisonner et fariner les cuisses de grenouilles, puis les dorer au sautoir de façon uniforme, en ajoutant une noix de beurre et le restant de la persillade.
Rectifier l'assaisonnement.
Servir chaque assiette garnie d'une tomate à la provençale et des cuisses de grenouilles arrosées d'un beurre à l'ail et persil.
Décorer avec du persil haché et parfumer avec du piment d'Espelette

Poulet fermier des Landes rôti aux herbes fraîches

POUR 4 PERSONNES

1 beau poulet fermier jaune de 1,4 kg à 1,6 kg
3 gousses d'ail
Branches de thym et de romarin, feuilles de laurier
Branches de cerfeuil, estragon, persil plat et ciboulette
1 carotte, 1 oignon, 1 poireau, 4 échalotes
2 cuillères à café de farine
0,5 l de vin blanc
2 clous de girofle
2 l d'eau
Fleur de sel et poivre du moulin

Dans une cocotte, verser 2 l d'eau, mettre la carotte coupée en deux dans le sens de la longueur, le poireau entier et l'oignon piqué avec les clous de girofle.
Ajouter quelques branches prélevées dans les herbes fraîches, ainsi que du romarin, du thym et du laurier.
Emmener au feu et, une fois en ébullition, assaisonner.
Brider la volaille, puis la plonger dans le bouillon pour 15 mn, afin de raffermir sa chair.
Préchauffer le four à 200 °C.
Réserver le bouillon de cuisson.
Fourrer la volaille avec des branches de romarin, du thym et du laurier, ainsi qu'avec les gousses d'ail.
Disposer une plaque pour récupérer les sucs de cuisson.
Placer la volaille dans une broche, puis la mettre au four pendant 12 mn afin de bien la faire dorer et croustiller.
Baisser ensuite le four à 160 °C, cuire pendant 18 mn, puis rectifier l'assaisonnement et réserver.
Débarrasser les graisses, puis disposer les échalotes finement émincées sur la plaque mise au four pendant la cuisson de la volaille.
Une fois les échalotes caramélisées, singer avec la farine et déglacer au vin blanc.
Mouiller avec 250 ml du bouillon de volaille de la cuisson, puis, une fois tous les sucs de cuisson décollés de la plaque, verser ce jus dans une cocotte et faire réduire d'un quart.
Hacher finement les herbes, puis réserver.
Détailler la volaille, puis la disposer dans un plat avec son jus, en parsemant le tout avec les herbes fraîches.

Moelleux de bœuf

POUR 6 PERSONNES

3,4 kg de paleron
100 ml d'huile de tournesol
0,5 l de sauce demi-glace
0,5 l de vin rouge
3 oignons, 1 tête d'ail, 1 carotte
7 belles tomates
1,2 kg de pommes de terre charlotte
0,5 kg de beurre, 250 ml de crème
1 cuillère de café de muscade
1 botte d'oignons nouveaux
100 ml de bouillon de volaille
Fleur de sel de Guérande, thym, laurier et romarin

Frotter le paleron avec la fleur de sel, puis laisser pénétrer l'assaisonnement pendant quelques minutes.
Tailler grossièrement la carotte, l'ail et les oignons, puis réserver. Monder les tomates, puis prélever les pétales.
Réserver les cœurs. Dans une braisière très chaude, saisir de façon uniforme la pièce de paleron. Ajouter la garniture aromatique, puis une noix de beurre.
Laisser le beurre mousser et enrober tous les ingrédients en les caramélisant.
Ajouter les cœurs de tomates, déglacer au vin rouge.
Adjoindre les herbes, porter à ébullition.
Placer au four à 90 °C pendant 7 heures.
La cuisson terminée, laisser la viande dans son jus.
Une fois refroidi, trancher le paleron à l'aide d'un couteau bien aiguisé, détailler les tranches, puis les replonger dans le jus pour les réchauffer.
Préparer la purée. Cuire les pommes de terre charlotte dans l'eau salée avec la peau, les éplucher et les écraser à la fourchette.
Dans une cocote, faire chauffer la crème, ajouter les pommes de terre écrasées. Incorporer le beurre en effectuant des mouvements circulaires à l'aide d'une cuillère en bois.
Réserver au chaud.
Glacer les oignons nouveaux.
Les cuire aux trois quarts dans l'eau salée.
Dans un petit sautoir chaud, mettre le beurre à fondre, puis ajouter les oignons. Déglacer au bouillon et laisser réduire afin d'obtenir une texture brillante.
Dans une assiette, dresser la tranche de paleron.
Recouvrir de pétales de tomates.
Dresser l'écrasé de pommes de terre en dessinant de petites vagues avec une spatule.
Entre les deux, disposer les oignons nouveaux glacés et napper la viande avec son jus.

Le Grand Colbert

Salade d'agrumes au gingembre

POUR 6 PERSONNES

6 oranges
3 pamplemousses
150 g de gingembre
200 g de sucre
600 ml d'eau
Zestes de citron vert
Feuilles de menthe

Préparer un sirop en mélangeant le sucre et l'eau.
Peler, puis émincer le gingembre en fines lamelles, ajouter celles-ci au sirop et cuire à petits bouillons pendant 40 mn, puis refroidir.
Peler les agrumes à vif, puis prélever les segments et réserver.
Presser avec les mains chacun des agrumes avant de les débarrasser.
Disposer les segments d'agrumes dans un plat, puis parfumer avec le gingembre et son sirop, les zestes de citron et les feuilles de menthe.
Garnir éventuellement le tout d'une boule de sorbet citron vert.

Îles flottantes

POUR 6 PERSONNES

6 œufs
50 cl de lait
1 gousse de vanille
300 g de sucre semoule
1 sachet de sucre vanillé
Huile de tournesol
Sel

Casser les œufs et séparer les jaunes des blancs.
Faire bouillir le lait avec la gousse de vanille fendue en deux. À l'aide d'un fouet, blanchir les jaunes avec 200 g de sucre, puis verser doucement le lait bouillant.
Laisser refroidir.
Fouetter les blancs en neige avec une pincée de sel et le sucre vanillé.
Huiler un moule d'un diamètre inférieur au plat de service.
Verser les blancs en neige dedans et faire cuire au four, au bain-marie à 140 °C pendant 30 mn.
Démouler délicatement la préparation en la faisant glisser sur la crème anglaise refroidie.
Verser le sucre restant dans une petite casserole.
Mouiller d'eau avec précaution et faire chauffer jusqu'au stade de caramel blond.
Verser le caramel brûlant sur les blancs démoulés en le laissant couler sur les côtés.
Mettre au frais jusqu'au moment de servir.

MOLLARD

Le sens des affaires

L'HÔTEL DE *PARIS* À MONTE-CARLO, le *Royal Palace* à Ostende, le *Palace Hôtel* à Madrid, l'hôtel *Savoy* à Fontainebleau, l'hôtel *Négresco* à Nice, et, dans la capitale, le *Moulin Rouge*, le *Casino de Paris*, le salon de thé *Angelina*, les *Folies Bergère* et les théâtres du *Mogador* et des *Capucines* : le palmarès d'Édouard Jean Niermans apparaît enviable. Né en 1859, cet architecte français d'origine néerlandaise réaménage également le théâtre *Marigny* du VIIIe arrondissement de Paris et reconstruit l'hôtel du *Palais* à Biarritz, semant ici ou là immeubles de rapport et villas léchées. Il possède une grande connaissance des styles du passé, qu'il allie à un intérêt marqué pour les matériaux modernes et à une recherche approfondie du confort dernier cri. Il comprend, avant les autres, les moindres souhaits du public de la Belle Époque, et même, il les devance. En somme, ce champion avant l'heure du marketing, dont le père, Gerrit Doorwaart Niermans, était lui-même architecte, a tout pour réussir. Il ne manquera pas de le faire. Remarqué, dès l'âge de trente ans, pour la construction du pavillon néerlandais de l'Exposition universelle, qui lui vaudra l'attribution de la Légion d'honneur, il va voler de succès en succès, comme architecte, mais aussi comme dessinateur et comme décorateur, scellant son magnifique parcours professionnel par son installation sur la Côte d'Azur.

Plus qu'un rendez-vous mondain, *Mollard* est aujourd'hui une brasserie d'habitués, qui apprécient l'intitulé varié de la carte.

La brasserie *Mollard* témoigne avec éclat de son talent à la fois inspiré par toutes les cultures du monde et très personnel. Il en dessine lui-même les chaises, les tables, les portemanteaux, les luminaires, les ferrures, et même le meuble en bois de teck sculpté de la caissière À elles seules, les bouches d'aération et de chaleur, ciselées avec art, constituent des pièces de musée. Il importe d'Italie des mosaïques splendides. Il choisit le cristal de Baccarat. Il accroche des miroirs imposants. Il sombre avec délectation dans l'orientalisme, tout en gardant un œil sur le Japon. Il demande aux ateliers de Sarreguemines de créer des pièces uniques sur le thème de l'épopée ferroviaire ; elles évoquent notamment Deauville, Saint-Germain-en-Laye, Ville-d'Avray et la gare Saint-Lazare elle-même, sans oublier l'Alsace et la Lorraine, un thème incontournable en cette année 1895.

DE LA CARRIOLE AU CARROSSE

Le résultat dépassa sans doute les espérances les plus folles du commanditaire, qui pourtant voyait grand. D'entrée, le Tout-Paris fait un triomphe au

Spécialité de Fruits de mer
Huîtres - Coquillages - Poissons - Crustacés
Toute l'Année
Les Huîtres
Les Coquillages
Le Plateau du Mareyeur
63,60 €
Le Plateau du Pêcheur
29,95 €
Les Poissons
Les Entrées
Les Fromages
Les Desserts

nouveau *Mollard*, considéré comme l'adresse gourmande la plus luxueuse de la cité, en même temps que comme l'étalon de l'Art nouveau. Le journal quotidien *Gil Blas*, feuille littéraire et mondaine à succès dont Guy de Maupassant compte parmi les collaborateurs, ne cache pas son enthousiasme devant le foisonnement de ses éléments décoratifs « Le regard s'accroche à tous les détails, ne rencontre aucun vide, aucune surface inoccupée. » Les plafonds de *Mollard* étonnent autant qu'ils séduisent, avec des représentations de poissons, de gibiers, de fruits, de légumes qui s'entrelacent avec sensualité sur un fond doré. Quant à la façade, elle est flanquée d'une marquise couverte en verre cathédrale à

Il y a quelque chose de féerique dans cette maison au décor foisonnant, tout d'or, de miroirs, de faïences et de céramiques.

Ville
d'Avray

émaux transparents et de vitres mobiles qui se replient le long des piles, ce qui permet à la terrasse et à la salle à manger de se fondre dans un même univers de fleurs peintes à l'émail par le maître verrier Hubert et son associé Martineau. Une réussite artistique en même temps qu'une prouesse technique.

Ce véritable palais est né sur les fondations d'un « bougnat », aux mains d'un Savoyard, et non, comme le voudrait la coutume, d'un Auvergnat ! Il s'appelle Louis Mollard. Quand notre bonhomme arrive à Paris en 1867, son pécule se limite à son cheval et à sa charrette. Il a la bonne idée d'ouvrir son « charbon » devant la gare Saint-Lazare, la « gare de l'Ouest » comme on l'appelle alors. Celle-ci devient rapidement la première gare parisienne de banlieue, dans un quartier en pleine mutation. Fiacres et omnibus embouteillent la chaussée.

Tandis que grondent leurs roues et que piaffent les chevaux, magasins, charges d'agents de change et banques se disputent le mètre carré à prix d'or. En bâtissant l'église Saint-Augustin, Baltard tente bien de saupoudrer l'affairisme ambiant d'un peu de spiritualité. Peine perdue ! Dans ce coin de Paris qui, peu de temps auparavant, fleurait bon la campagne, on fait de l'argent. L'astucieux père Louis ne demande pas mieux que de s'accommoder de la situation. En trois décennies, il accumule une jolie fortune et décide de construire un restaurant à la mesure de son ambition et de sa perspicacité. Sa clientèle, de plus en plus huppée, et qui, pourvu qu'elle s'amuse, ne regarde pas à la dépense, suit le projet avec intérêt. Conscient de jouer sur du velours, il entreprend alors des travaux considérables, dont il confie la direction à l'architecte le plus en vue du moment : Édouard Jean Niermans, le maître du plafond traité en verrière. L'inauguration est tapageuse et le succès immédiat, d'autant que la vie parisienne se déplace de plus en plus du Palais Royal vers les Grands Boulevards. Voici malheureusement que le ciel s'assombrit. La guerre de 1914-1918, qui plonge le pays dans la ruine, porte un coup fatal à l'entreprise. En 1928, *Mollard* passe aux mains de Georges Gauthier et essuie de nouvelles tempêtes : la crise économique de 1929, puis l'Occupation. Tandis que le pavé parisien résonne sous la botte ennemie, la brasserie permet à beaucoup d'habitants de ses environs immédiats de survivre, et, rapporte la chronique de cette époque funeste, « la queue s'allonge chaque jour devant sa porte ».

En 1945 les affaires reprennent. À sa manière, *Mollard* va jouer un rôle moteur dans la renaissance du quartier. Les Normands, que la gare Saint-Lazare déverse chaque jour à Paris par wagons entiers, n'ont qu'à traverser la rue pour pousser sa porte. La capitale panse lentement ses plaies. Les locaux commerciaux manquent aux hommes d'affaires qui arrivent de Rouen et du Havre. Ceux-ci tiennent salon dans la brasserie. Ils la surnomment le « Bureau ». Deux jours par semaine, ils y reçoivent leurs fournisseurs le matin et leurs clients l'après-midi. On parle fort en arrosant généreusement les contrats. Les apéritifs coulent à flots : 50000 litres d'alcool seront ainsi éclusés en la seule année 1949 !

Les bonnes surprises de l'omelette

Alors que Paris se reconstruit et se restructure, *Mollard*, qui perd peu à peu sa clientèle de piliers de bar, en revient à des nourritures plus substantielles. À partir de 1955, l'enseigne connaît un nouvel élan grâce à sa célèbre formule

Hymne à l'insouciance et à l'élégance de la Belle Époque, *Mollard* transsude de tout le talent de l'architecte et décorateur Édouard-Jean Niermans.

de « L'Omelette Surprise » : tout est servi à discrétion sur la table pour 10 francs , à la grande joie des Parisiens encore sous le coup des privations inhérentes à la dernière guerre. Les plus anciens habitants de la capitale se rappellent encore les copieux repas à prix raisonnable que leur offrit, pendant plus d'une décennie, cette adresse innovatrice. Au fil d'une histoire cahoteuse et de ses bourrasques cruelles, son décor exceptionnel, hélas, a perdu beaucoup de ses ors. Le voilà en ombres chinoises. Ses céramiques ont été peintes, ses faïences dissimulées sous des miroirs, sa verrière démontée. Par chance, la maison possède encore une mémoire vivante. Dans les années 1960, l'un de ses plus vieux employés, en poste dès la Belle Époque, se souvient de sa superbe d'hier. Il en parle à Jacques Gauthier, qui a succédé à son père Georges à la tête de *Mollard*. Courageusement, ce dernier arrache un à un les oripeaux qui drapent la maison. Après dix années de recherche et de restauration, il lui rend son lustre et ses sortilèges. Une formidable entreprise de réhabilitation, menée par petits sauts, comme on passe les murailles. En 1998, le ministère de la Culture rend un juste hommage à ses efforts, en inscrivant l'établissement à l'inventaire des Monuments historiques.

La brasserie accorde une large place aux produits de la mer. Il est vrai que la gare Saint-Lazare, sa voisine, relie Paris à la côte normande...

Aujourd'hui, la cuisine que sert *Mollard* entre ses marbres, ses bronzes, ses frises, ses vitraux, ses colonnes et ses faïences, distille, à travers un classicisme bon teint, les meilleures saveurs de sa période glorieuse. Le rognon de veau flambé au cognac et le homard, extrait du vivier et préparé grillé ou Thermidor, apparaissent comme les témoins privilégiés des agapes de la Belle Époque.

C'est avec la même dextérité que celle-ci décortiquait une langouste et mijotait un ragoût. Si les fourneaux de la brasserie *Mollard* ont des lettres, ils ont aussi des idées. La salade Saint-Lazard, les asperges vertes à la chair de crabe, le carpaccio de noix de coquilles Saint-Jacques ou la bouillabaisse de poissons de roche en filets, constituent autant d'innovations savoureuses. Quant à la fameuse andouillette AAAAA, elle joue à la gardienne du temple dans une maison que fréquentent, avec un même bonheur, cadres du quartier, voyageurs normands et touristes bien informés, dont le jeu des miroirs duplique l'image. Et une bouchée pour Édouard Jean Niermans, et une bouchée pour Louis Mollard !

Asperges vertes à la chair de crabe

POUR 1 PERSONNE

5 queues d'asperges vertes
60 g de chair de crabe fraîche (tourteau ou étrille)
Safran
Vinaigrette balsamique
Feuilles de coriandre, tomates cerisettes, cerfeuil

Dresser l'assiette avec la chair de crabe, les queues d'asperges vertes en étoile, ajouter safran et vinaigrette balsamique et agrémenter avec feuilles de coriandre, tomates cerisettes et cerfeuil.

Carpaccio de noix de Saint-Jacques

POUR 4 PERSONNES

8 à 12 noix de coquilles Saint-Jacques décortiquées sans corail
8 pommes Granny Smith
Curry, gingembre et safran en poudre
Vinaigrette en réduction de balsamique montée à l'huile d'olive
Miel
Coriandre fraîche
Fleur de sel

Émincer finement les noix de Saint-Jacques.
Réserver au frais.
Éplucher et couper en petits dés les pommes Granny Smith, puis les faire revenir dans du beurre.
Ajouter les épices, laisser mijoter 5 mn.
Réduire le vinaigre balsamique avec du miel.
Monter avec de l'huile d'olive (10 unités d'huile d'olive pour 5 unités de vinaigre balsamique).
Une fois la préparation refroidie, ajouter de la coriandre fraîche.
Dresser en cercle la compotée de pommes aux épices.
Disposer sur le dessus les fines lamelles de coquilles Saint-Jacques en rosace.
Assaisonner avec de la fleur de sel et la vinaigrette balsamique.

GIL BLAS

Salade Saint-Lazard

POUR 1 PERSONNE

Salade de mesclun
1 fond d'artichaut
1 tomate
1 œuf dur
50 g de crevettes roses
30 g de jambon blanc
Vinaigrette aux herbes parfumées

Découper le fond d'artichaut en dés,
la tomate et l'œuf dur en quatre,
le jambon en fines lamelles,
ajouter les crevettes roses décortiquées,
mêler au mesclun et arroser avec
la vinaigrette aux herbes parfumées.

Bouillabaisse

POUR 4 PERSONNES

1 kg de poissons de roche
(vive, grondin, daurade, rascasse) et 4 langoustines
1 soupe de poisson
6 pommes de terre
Rouille, croûtons, gruyère râpé
Safran

Pour la rouille

Écraser de la pomme de terre cuite,
ajouter des jaunes d'œufs (1 jaune par pomme de terre),
ainsi qu'une pincée de safran et du piment de Cayenne.
Monter le tout avec de l'huile d'olive
(comme une mayonnaise).
Assaisonner avec du sel et du poivre.

Prélever les filets des quatre poissons de roche
en éliminant bien les arêtes.
Cuire ces filets dans la soupe de poissons pendant 15 mn.
Couper les pommes de terre en rondelles,
cuire pendant 10 mn et assaisonner
d'une pincée de safran.
Dans une assiette creuse, disposer, pour chaque convive,
les pommes de terre safranées en rondelles,
ajouter les différents filets de poissons de roche,
la langoustine par-dessus,
verser la soupe de poisson.
Servir bien chaud avec de la rouille,
des croûtons et du gruyère râpé.

OMELETTE SURPRISE MOLLARD

POUR 1 PERSONNE

Base génoise (7 cm x 5 cm)
Glace 2 parfums au choix, coupée en carrés de 2 à 3 cm d'épaisseur
Blanc meringué
Grand Marnier

Superposer la génoise et les deux glaces, napper le tout d'un blanc meringué assez compact avec une poche et une douille pour réaliser une décoration. La préparation terminée, il ne faut avoir la vision que du blanc meringué.
Réserver au congélateur.
Servir flambé au chalumeau, en veillant à ne dorer que les arêtes du blanc meringué.
Ajouter 3 cuillères à soupe de Grand Marnier et flamber devant chaque convive.

Polidor

Livres d'or

« Méfiez-vous de la première impression : c'est toujours la bonne », aurait dit Talleyrand à Napoléon. La façade de *Polidor* donne raison au redoutable homme politique dont la carrière témoigne d'une étonnante longévité : en place dès l'Ancien Régime, il était toujours là sous la monarchie de Juillet ! Plus que la devanture d'un restaurant, c'est la vitrine d'une boutique. De la rue, on guette instinctivement, derrière ses vitres hautes et étroites enchâssées dans le bois, des étales débordant de victuailles et des vendeuses affairées, plutôt que des tables aux couverts sagement alignés. Et pour cause. *Crèmerie Restaurant Polidor* : l'enseigne, en lettres d'or sur fond de faux marbre, apporte la clé de l'énigme. Au milieu du XIXe siècle, on y vend des œufs, du beurre et du fromage à tout un petit peuple qui, à l'époque, fait ses courses tôt le matin ; ici, il peut aussi avaler sur le pouce un plat rustique ou deux à base de lait et d'œufs. La maison porte le nom de son fondateur, mais c'est à ses successeurs qu'elle doit sa vocation de restaurant, d'abord timide avec Biéry, puis, au tournant du siècle, plus affirmée avec Froissard, Chauvin et Bouy. Dans les années 1930, le couple Bony, qu'épaule le cuisinier Denis Recoules, assoit définitivement sa réputation. Attablée au coude à coude, une clientèle tantôt fauchée, tantôt aisée, s'y partage des plats chantés bien au-delà du Panthéon et de la Sorbonne, et si le lieu vaut pour sa bonne chère, on l'aime aussi pour sa gentillesse.

Polidor, comme le rappelle son enseigne, fut une crémerie avant de devenir un restaurant à vocation à la fois populaire et littéraire.

La cuisine ménagère

De ses origines, *Polidor* conserve un caractère éminemment populaire, se contentant d'inscrire le « pot de la semaine » à même ses miroirs et de poser des nappes en papier sur la toile cirée. Surtout, la maison dissèque, d'un plat traditionnel à l'autre, quelques-unes des vérités gourmandes de Paris avec une constance jamais ébranlée. Crème de lentilles, œuf mayonnaise, terrine de brochet, bœuf bourguignon, blanquette de veau, rognon sauce madère, joue de porc, pintade aux choux et aux lardons, tarte aux pommes, crème caramel, baba au rhum : pour les amoureux de la cuisine dite de « ménage », la lecture de la carte donne des coups au cœur et des creux à l'estomac. Nous sommes loin des intitulés snobs, des assiettes légères et des préparations sophistiquées. Vivent les bons petits plats mitonnés et roboratifs qu'on se partage fraternellement !

POLIDOR
1845
Bœuf bourguignon
Blanquette de veau
Saucisson lyonnais
Carpaccio de Bœuf
EuroCave

VIN du MOIS
Gaillac
Rotier "Les gravels"
Pot 46cl 12€ 2005
Pichet 36cl 9€
POLIDOR

Et merci à *Polidor* de toujours se tenir à la lisière du présent, avec des spécialités jamais saucées par les modes, et qui ont traversé le temps.
La fameuse andouillette du Père Duval, fabriquée au fond d'une petite rue de Drancy, dans la région parisienne, est de celles-là. Ce cheval de bataille des brasseries et des bistrots semble particulièrement à sa place chez *Polidor*, qui en constitue le tabernacle privilégié. Arrivés directement de Bretagne jusqu'à l'entreprise familiale, les boyaux sont échaudés et dégraissés au couteau, ce qui leur assure une faible teneur en matières grasses (12 % seulement). Ils sont ensuite découpés en fines lanières, montés en paquets que noue une ficelle et mélangés à de la persillade. Ils passent ensuite sinon à la casserole, du moins à la marmite, où ils cuisent à feu doux et au court-bouillon pendant environ huit heures. Merveilleux savoir-faire artisanal que, bien heureusement, la pluie des normes européennes n'a pas encore réussi à noyer. Cette andouillette que sert *Polidor* est dûment agréée par l'Association amicale des amateurs d'andouillette authentique (AAAAA), qui regroupe en son sein des métiers de bouche et de l'univers de la table, fabricants, restaurateurs, critiques gastronomiques. On l'a compris : si, dans ce restaurant délicieusement suranné, la bonne humeur est de règle, on ne plaisante pas pour autant avec la qualité de l'approvisionnement.
La maison a toujours été connue et appréciée pour ses prix raisonnables, comme le résume dans un langage imagé le poète Germain Nouveau : « Nous avons pu dépenser peu de ronds grâce à notre reconnaissance de lieux où l'on tortore aussi magnifiquement bon marché que chez *Polidor* ». Même en ces temps difficiles, l'adresse ne faillit pas à sa réputation. Son seul

Comme un coin de province au cœur du Paris estudiantin...
Beaucoup d'étrangers en visite dans la capitale tiennent à s'attabler chez *Polidor*.

luxe est de tenir commerce dans une rue au nom aristocratique : Monsieur-le-Prince. En l'occurrence, le prince de Condé, propriétaire d'un hôtel particulier proche du chemin qui longeait extérieurement le rempart de Philippe Auguste.

La cave de *Polidor* ne se contente pas d'enfermer quelques jolies bouteilles, comme un château Pontet Canet 1994, un château Bernadotte Cru Bourgeois 2001 ou un pouilly fumé 2004 château de Tracy. Y demeurent des vestiges de cette muraille historique qui, au XIIIe siècle, délimitait le Quartier latin du faubourg Saint-Germain, au temps des ribaudes et des ruffians, des tanneurs et des teinturiers, des porteurs d'eau et des laitières. Alentour, on croit encore entendre les maîtres qui prodiguaient leur savoir en plein air à des élèves assis sur des bottes de paille. L'ex-crémerie est imprégnée de ce vieux Paris en patois des clercs et des escholiers, qui a gardé ses étudiants, ses libraires, ses bouquinistes, ses éditeurs.

La maison, qui accommode l'illustre andouillette du Père Duval, accueillit les pataphysiciens et compta Boris Vian parmi ses fidèles.

Tout un monde de culture qui oscille entre l'ordinateur et le papier jauni, et qui, à l'heure du déjeuner, se retrouve à sa table, la lippe gourmande et la mine réjouie, avec une solide provision de plaisanteries de potache pour le dessert. S'y mêlent des touristes japonaises qui veulent tout goûter, et chinoises qui photographient tout, des routards espagnols à un euro près, des érudits américains qui suivent les grandes enjambées d'Ernest Hemingway à travers Paris, avec, entre les mains, *A Moveable Feast* en guise de Baedeker.

Une clientèle très variée, mais que l'ambiance conviviale conduit souvent à adopter le même leitmotiv, énoncé haut et fort pour couvrir le joyeux brouhaha du lieu : « Garçon, remettez-nous ça ! »

Le temple de la pataphysique

De Verlaine à Joyce, *Polidor* a très vite été adopté par les poètes et par les écrivains. Souvent impécunieux, ils y comblaient leur estomac de blanquette de veau et de boudin purée, faute de remplir leur bourse de droits d'auteur. Beaucoup d'entre eux ont rendu hommage à cette maison chaleureuse et bienveillante, qui n'a pas sa pareille pour faire naître une certaine élégance d'une bonne franquette innée. Pierre Benoit l'évoqua même dans son discours de réception à l'Académie française. Avec Paul Léautaud, ce fut le coup de foudre. Il note dans son *Journal littéraire*, à la date du 21 novembre 1941 : « Déjeuner avec Marie Dormoy dans un excellent

POLIDOR
DEJEUNER
DINER
Plat du Jour
Vins de Propriétés
Alcools & Liqueurs de Marques
CHAMPAGNE
Apéritifs ~ Digestifs

RESTAURANT POLIDOR
LE ZOU-ZOU
APERITIF
LAVABOS
La Sauce aux câpres
Rhum J.M
FIRST FILL
SHERRY CASK
CRAIGELLACHIE
1981

restaurant : le *Polidor*. Je crois bien que nous continuerons d'y aller. »
Bientôt, l'adresse deviendra sa cantine. Comme Marx Ernst, Boris Vian, Paul Valéry, André Gide ou Eugène Ionesco, il aura sa serviette pliée dans le grand casier noir prévu à cet effet, placé au fond de la salle et pieusement conservé par les propriétaires successifs de l'établissement. Plus près de nous, les dessinateurs Wolinski et Cabu, dans le sillage de Daumier, ont laissé la trace de leur talent sur le livre d'or d'une maison qui, si elle aiguise l'appétit, déchaîne aussi les émotions.
Après le déclin des cafés et passée la mode de l'absinthe, les artistes ont toujours préféré la brasserie au restaurant, qu'ils abandonnaient avec mépris au monde de la finance. La plupart des brasseries peuvent se targuer d'avoir accueilli, et de recevoir encore, une clientèle de romanciers, de poètes, de dramaturges, de peintres, de caricaturistes, de sculpteurs et de marginaux de toute espèce, mais *Polidor* est la seule à avoir été le siège d'une confrérie issue du milieu artistique : le collège de Pataphysique. Le mot a été inventé par Alfred Jarry, cet écrivain qui, dès son plus jeune âge, manifesta un goût prononcé pour l'utilisation d'objets insolites et pour le port de tenues extravagantes. Surréaliste avant l'heure, il est préoccupé de « dépasser le rythme habituel des actes auxquels l'homme pense être naturellement limité », théorie largement développée dans son roman *Le Surmâle*, publié en 1902.
En 1948, date officielle de la création du collège de Pataphysique, *Polidor* se trouve ainsi plongé, entre la poire et le fromage, dans la « science du particulier, qui apporte des solutions imaginaires aux problèmes généraux ». S'y retrouvent alors régulièrement des hommes aussi différents que Boris Vian, Jean-Hugues Sainmont, René Clair, Raymond Queneau, Jean Raspail, Paul-Émile Victor ou Jacques Prévert.
Tandis que se multiplient les manifestations pataphysiciennes, pétille la maison. Ces rencontres de bistrot sont aussi des chocs d'idées. Le souffle de l'esprit sale le hachis Parmentier et poivre la salade. En 1953, la promotion de Boris Vian au rang de « Transcendant Satrape » constitue, sans conteste, l'un des sommets de toute cette agitation intellectuelle et gastronomique qui, pendant plusieurs décennies, fera de *Polidor* une brasserie pas tout à fait comme les autres. La culture du génie de l'absurde en moins, elle le reste aujourd'hui.

Pour inscrire ses meilleures propositions, cette adresse préfère les miroirs piqués par le temps aux traditionnelles ardoises de bistrot.

Joue de porc au curry de Madras

POUR 4 PERSONNES

800 g de joues de porc
1 dl de vinaigre
1/4 de l de vin blanc
150 g de carottes
200 g d'oignons
2 gousses d'ail
1 dl de crème fraîche épaisse
1 bouquet garni
1 cuillère à soupe d'huile d'olive
1 cuillère à soupe de curry
1 cuillère à soupe de moutarde
50 g de farine
1 l de fond blanc
Sel, poivre

Faire blanchir les joues de porc dans de l'eau légèrement vinaigrée et salée. Égoutter.
Faire revenir à l'étuvée les oignons et les carottes, ajouter le bouquet garni et l'ail.
Faire colorer légèrement les joues de porc dans une poêle avec une cuillère à soupe d'huile d'olive.
Verser les joues de porc dans la garniture aromatique, singer légèrement.
Déglacer au vin blanc et avec environ un litre de fond blanc au choix (volaille, veau, bœuf).
Saler, poivrer.
En fin de cuisson, rajouter le curry, la moutarde et la crème, mélanger le tout.
Accompagner d'une purée de pommes de terre.

Crème de lentilles au foie gras landais

POUR 6 PERSONNES

1 bouquet garni
200 g de lentilles blondes
150 g de carottes
150 g d'oignons
300 g de foie gras frais
1 gousse d'ail entière
1/4 de l de crème fleurette
Sel, poivre
Facultatif : 1/4 de l de fond de volaille

Faire revenir au beurre la garniture aromatique émincée (carottes, oignons, ail) avec le bouquet garni.
Mouiller à l'eau ou au fond de volaille la garniture aromatique pendant environ 15 mn.
Ajouter les lentilles.
Laisser cuire pendant 25 à 30 mn.
Faire revenir rapidement à feu vif le foie gras dans une poêle.
Rajouter le tout dans les lentilles.
Mixer la préparation et ajouter un quart de litre de crème fleurette.

Bœuf bourguignon

POUR 4 PERSONNES

1 kg de paleron de bœuf ou viande courte et gélatineuse
300 g d'oignons
20 g de carottes
1 tête d'ail
100 g de champignons de Paris
1 l de vin rouge, de préférence rustique et épais
50 g de farine
1 cuillère à soupe d'huile d'olive
1 bouquet garni
1 clou de girofle
Gros sel et mignonnette de poivre
2 l de fond de sauce

Couper la viande en morceaux.
La faire revenir à feu vif dans une cuillerée d'huile d'olive.
Dans une cocotte, saisir la garniture aromatique (carottes en brunoise, oignon piqué, et, en dernier, l'ail) et les champignons.
Ajouter les morceaux de bœuf à la préparation.
Singer, ajouter le vin, 2 l de fond de sauce, le bouquet garni. Saler, poivrer.
Laisser cuire à feu doux environ 2 heures.
Servir avec des pommes à la vapeur ou avec une purée de pommes de terre.

Terrine de brochet

POUR 4 PERSONNES

1 l de chair de brochet
4 œufs
1 l de crème fleurette
Sel, poivre
1 pointe de muscade

Mixer la chair à la grille fine, puis la verser dans un batteur.
Ajouter les œufs, le sel, la muscade, le poivre et la crème lentement.
Mélanger et verser dans une terrine.
Mettre au four au bain-marie pendant 45 mn à 180 °C.
Accompagner d'une mayonnaise au basilic.

POLIDOR

Pintade aux choux et aux lardons

POUR 4 PERSONNES

1 pintade moyenne
1 chou vert d'1,2 kg environ
2 carottes
2 gousses d'ail
150 g de lardons
200 g d'oignons
100 g de beurre
1 cuillère de fond de volaille
200 ml de fond blanc
1 bouquet garni
1 clou de girofle
Sel et poivre

Dans un plat, cuire la pintade au four à feu vif.
La couper en quatre.
Ajouter la garniture aromatique
(carotte en brunoise, oignon piqué, et, en dernier, l'ail).
Ajouter une cuillerée de fond de volaille
et une noix de beurre.
Recouvrir de papier aluminium et laisser étuver lentement.
Dans un faitout, faire blanchir le chou vert
à l'eau bouillante salée.
Après cuisson, le rafraîchir sous l'eau froide,
puis l'égoutter et le couper en gros morceaux.
Le faire revenir dans le beurre avec
un oignon et une carotte.
Ajouter 200 ml de fond blanc,
les lardons et le bouquet garni.
Saler, poivrer.
Laisser étuver environ 20 mn.
Servir très chaud.

Le Train Bleu

Les gens du voyage

« Après avoir débarqué à Calais, elle s'installa avec sa femme de chambre dans son double compartiment du *Train Bleu*, puis se rendit au wagon-restaurant. » Dans *The Mystery of the Blue Train*, Agatha Christie ficelle l'une de ses plus célèbres intrigues policières dans le train de luxe de la Compagnie des wagons-lits qui, depuis 1922, circulait entre Calais et la Côte d'Azur, via Paris et avec correspondance de et vers l'Angleterre. Fréquenté par la haute société, il était exclusivement composé de voitures-lits, d'un wagon-restaurant et d'une voiture-bar. D'abord baptisé *Calais-Méditerranée-Express*, il prit rapidement le nom de *Train Bleu*, en référence à la couleur de ses wagons-lits. La fumée qu'il crachait enveloppait le buffet de la gare de Lyon de tout son prestige et de mille rêves d'échappée belle. Comme le Grand Palais, le Petit Palais, le pont Alexandre III et la gare elle-même, monumentale, ce restaurant naquit avec l'Exposition universelle de 1900. Officiellement inauguré le 7 avril 1901 par le président de la République Émile Loubet en personne, il n'avait rien à envier au fameux train en matière de raffinement. À boggies rutilants, couverts de vermeil ! Osmose absolue entre l'un et l'autre, même culture d'un confort ouaté, d'un décor somptueux et d'une futilité dorée si caractéristiques de la Belle Époque. En 1963, le second prendra d'ailleurs le nom du premier, perpétuant ainsi le mythe d'un convoi désormais enfoui dans le tunnel de l'oubli.

Le plus beau restaurant de Paris

« Il n'y a pas à Paris de plus beau restaurant que celui de la gare de Lyon », disait, dans la *Lettre dans un taxi,* Louise de Vilmorin de ce buffet pas comme les autres. La dernière guerre faillit pourtant lui être fatal. Les Allemands, qui l'avaient transformé en entrepôt, se souciaient comme d'une guigne de son entretien. Par ses vitres brisées pénétraient les vapeurs des locomotives, qui voilèrent peu à peu de noir ses fresques, ses sculptures et ses moulures. Le voilà en deuil. Prenant fait et cause pour ses nombreux défenseurs, dont le cinéaste René Clair, c'est André Malraux qui, en 1972, le sauva de la démolition souhaitée par la SNCF, en obtenant son classement à l'inventaire des Monuments historiques. Vingt ans plus tard, ses peintures, à jamais soustraites aux fumées polluantes des chemins de fer d'antan, retrouvèrent leur éclat originel grâce une minutieuse restauration.

Né avec l'Exposition universelle de 1900, le *Train Bleu* tomba dans la décrépitude absolue après la dernière guerre et faillit même être rasé !

Aujourd'hui, autant qu'une grande table, le *Train Bleu* apparaît comme un véritable musée, exceptionnel témoin de l'approche de l'art décoratif au tournant du XIXe siècle et du XXe siècle.
Dès lors, comment s'étonner que Jean Cocteau, Brigitte Bardot, Coco Chanel, Marcel Pagnol, Jean Gabin, Colette ou Salvador Dali aient eu leur rond de serviette dans ce restaurant au cachet somptueux ? Le cinéma, lui non plus, ne s'y trompa point. Ainsi Luc Besson y tourna-t-il une scène de *Nikita*, tandis qu'il prêta son cadre sublime à Nicole Garcia pour *Place Vendôme* et à Pierre Jolivet pour *Filles uniques*.
Marius Toudoire, son architecte, voyait grand. Il avait déjà à son actif la préfecture de Constantine et la gare Saint-Jean de Bordeaux. Au futur *Train Bleu*, il ne s'entoura pas moins de trente peintres pour couvrir ses murs et ses plafonds de quarante et une toiles. S'il leur fixa un délai assez court pour accomplir leur tâche (cinq mois), il ne lésina pas sur leur cachet : 2500 francs de l'époque, quand un ouvrier parisien gagnait 5 francs par jour. Ce sont d'abord ces peintures, mi-réalistes, mi-romantiques et toujours lumineuses, qui éblouissent le visiteur dès l'entrée. Ajoutées à l'immensité du lieu et à une hauteur de plafond qui peut dépasser 10 m, leurs couleurs vives flattent les yeux comme les assiettes l'appétit. De salles en salons, elles illustrent les villes et les régions françaises traversées par les lignes PLM et présentent une étonnante unité d'expression. C'est que les artistes d'alors adoptaient sans mal un style commun, à la recherche d'un décor sans dissonance. Ainsi, les plafonds de la Grande Salle, longue de 26 m et large de 13 m, sont-ils dus à plusieurs peintres : *Paris* est une œuvre de F. Flameng, *Lyon* de E. Dubufe, *Villefranche* et *Monaco* de F. Montenard. On les croirait pourtant sortis d'une même palette. La Salle Dorée qui, elle aussi, affiche des dimensions respectables (18,50 m de long et 9 m de large), est plus particulièrement consacrée à l'évocation du quart sud-est de la France et de la Méditerranée. On y remarque notamment *La Bataille des Fleurs*, une composition qu'Henri Gervex, ami de Renoir, dédia au folklore niçois. Et *Le Panorama des Alpes bernoises*, signé par le peintre suisse E. Burnand et mettant en scène le mont Blanc avec beaucoup de talent, dans le genre, ô combien difficile, que constitue la « peinture de montagne ». Cette œuvre très forte fit le tour du monde, d'Anvers à Genève en passant par Chicago. Les salons, quant à eux, évoquent l'appartenance à la France d'alors de l'Algérie et de la Tunisie, avec moult motifs géométriques de style arabe et diverses peintures célèbres, dont la *Vue d'Alger* de G. Galland. Reliant les pièces principales, les passages eux-mêmes accumulent les représentations artistiques, de *Monte Carlo, Toulon, Arles* et *Montpellier*, par U. Checa y Sanz, à *Nice, Évian, Nîmes* et *Grenoble*, qui portent la griffe de A. Calbet. Partout, au *Train Bleu*, transsude le désir de sublimer les multiples paysages que sillonnait le réseau PLM, et avec quelle exubérance ! Les sculptures et les moulures d'or, le plus souvent en stuc, font prendre la sauce ; leurs motifs de fruits, de fleurs, de lions, de dauphins, mais aussi de bustes de femmes et de figures mythologiques, équilibrent admirablement le foisonnement des œuvres picturales et ajoutent au délire artistique de l'endroit, exceptionnelle photographie d'un temps qui ne doutait de rien.

Avec la magnificence de son décor, le *Train Bleu* voulait éblouir les usagers de la gare de Lyon. Il fascine aujourd'hui la terre entière.

UNE CUISINE ÉVOLUTIVE

Le *Train Bleu*, chapelle Sixtine du profane, se devait de servir une cuisine adaptée à son cadre. Ce buffet de gare là, est-ce utile de le préciser,

a toujours ignoré les frites et les sandwichs. C'est qu'il ne pouvait confier ses fourneaux qu'à des Michel-Ange du poêlon. Aujourd'hui comme hier, ses spécialités s'inscrivent dans la tradition de la gastronomie française, adaptée au goût du jour. Il y a les grands classiques qui, adoptant un vocabulaire formel, sont autant de clins d'œil gourmands à l'histoire de la brasserie. Ils apparaissent indissociables du tourbillon des serveurs, du sourire des angelots d'or, de l'alignement des banquettes aristocratiques, des lustres scintillants et des portemanteaux ciselés : le foie gras de canard aux poires et pain d'épices, les gros escargots de Bourgogne en coquille, le saucisson pistaché à la lyonnaise en brioche, le gigot d'agneau rôti, le vacherin. On découvre aussi des préparations plus contemporaines, comme le fondant de poireaux aux asperges et artichauts, la poêlée de légumes du marché, la pressée de tomates Roma aux anchois frais ou le bar grillé et son écrasée de pommes de terre au fenouil confit et beurre glacé aux herbes fraîches. Cuisine tout à la fois bourgeoise et bohême, soignée dans ses moindres détails et quasiment irréprochable. Par son savant équilibre entre hier et aujourd'hui, elle témoigne de la vitalité d'une maison dont on aurait pu douter de la pérennité. Car enfin, cette débauche de falbalas a-t-elle encore sa place au sein d'un quartier vacillant sur ses bases historiques, dans un Paris qui, de nos jours, cherche plus à respirer qu'à s'amuser ? Depuis plusieurs décennies, les pouvoirs publics se sont employés à restructurer et à développer l'est de la capitale, contrebalançant ainsi le développement tentaculaire de l'Ouest parisien. À quelques pas seulement du *Train Bleu*, les très modernes immeubles du ministère de l'Économie et des Finances et les arêtes aiguës du Palais omnisports toisent froidement la Seine. De l'autre côté du fleuve, les quatre tours

La magnifique Salle dorée (18,50 m de long, 9 m de large) doit son nom à la dorure des stucs qui recouvrent ses murs.

de verre de la Bibliothèque nationale de France ne réchauffent guère l'atmosphère. Quant aux anciens entrepôts de Bercy, ils pleurent leur vin de toutes leurs barriques perdues. On cherchera en vain les étroits trottoirs aux pavés disjoints, les enseignes en émail bleu, les courettes fleuries et les portes qui criaient sur leurs gonds, longtemps si caractéristiques du XIIe arrondissement. Tutélaire, la tour de la gare de Lyon, avec ses quatre horloges dont le diamètre frise les sept mètres, apparaît comme le dernier rempart d'un monde perdu. Ce chef-d'œuvre de l'architecture ferroviaire, né sur les décombres d'une baraque en planche qui, au milieu du XIXe siècle, portait le nom d'« embarcadère de Lyon », déroule une façade de cent mètres de longueur ornée de sculptures allégoriques. À l'intérieur, les blasons des villes desservies surmontent d'imposantes colonnes, tandis que la salle des guichets conserve une grande fresque évoquant leurs principaux monuments. L'ensemble, dans lequel le *Train Bleu* s'inscrit à la perfection, est à la fois théâtral et grandiose. Le grand souffle de cette évasion qui, disait Pierre Mac Orlan, conduit le voyageur « aux limites les plus reculées de l'exaltation », enveloppe la gare. Évoquant son restaurant mythique, Jean Giraudoux écrivait : « J'aime cette salle à manger "vieille France" qui, face à l'univers de Larbaud et de Morand, relève le défi de l'aventure. » Le *Train Bleu*, qui roule pour la gastronomie, emprunte à toute vapeur les chemins du rêve.

Si le *Train Bleu* n'a plus à craindre la fumée des locomotives, il communie toujours avec la grande aventure du chemin de fer…

A
C

Pressée de tomates aux anchois frais, sorbet fromage blanc au basilic

POUR 15 PERSONNES

6 kg de tomates Roma
800 g d'anchois frais
2 bottes de basilic frais
Sel, poivre, huile d'olive et sel de céleri
Sorbet fromage blanc au basilic

Monder et tailler les tomates en pétale,
puis les épépiner et les disposer sur un papier absorbant.
Assaisonner avec sel, poivre et sel de céleri.
Réserver.
Égoutter les anchois frais.
Laver et effeuiller le basilic
Chemiser une terrine métallique avec du papier film,
puis du papier sulfurisé.
Monter en couches successives les tomates en pétale,
puis les filets d'anchois et les feuilles de basilic,
soit, au total, quatre couches de tomates,
plus trois couches d'anchois et trois couches de basilic.
Filmer et mettre sous presse pendant environ une nuit.
Démouler la terrine et la trancher.
Sur une assiette, déposer une tranche de terrine,
un bouquet de mesclun, napper la terrine
avec un filet d'huile d'olive et la souligner d'un trait
de réduction de balsamique.
Saupoudrer de poivre (un tour de moulin).
Mettre une boule de glace sur l'assiette.

Saucisson pistaché à la lyonnaise en brioche, sauce périgueux

PAR PERSONNE

90 g de saucisson pistaché
Sauce périgueux
Salade riquette
Pâte à brioche

Placer le saucisson dans un bouillon
avec une garniture aromatique.
Débarrasser, égoutter et enlever la peau.
Étaler la pâte à brioche en plaque.
Envelopper le saucisson avec les plaques de pâte à
brioche, souder à l'œuf et
cuire 15 mn au four à 180 °C.
Déposer deux tranches de saucisson sur une grande
assiette, mettre un cordon de sauce périgueux
et une pluche de persil plat.
Sur une petite assiette,
servir à part 40 g de salade riquette.

le Train Bleu
classé monument historique

Poêlée de légumes d'hiver au sel de Maldon, bouillon de poule aux perles du Japon

POUR 4 PERSONNES

8 gros fonds d'artichauts pour la purée
4 carottes, 4 navets, 4 branches de céleri
80 g de trompettes de la mort ou autres champignons
4 salsifis, 120 g de haricots verts
Lamelles de parmesan
8 feuilles d'endive
1 botte de ciboulette
4 châtaignes
Sel de Maldon
20 g de graines de courge
1/2 l de bouillon de volaille
40 g de perles du Japon
Huile d'olive

Blanchir les carottes, navets, céleri, haricots verts et trompettes de la mort.
Attention : ils doivent demeurer bien fermes après cuisson.
Réserver.
Faire cuire les salsifis dans un blanc (farine, eau, citron, sel). Réserver.
Préparer une purée avec les fonds d'artichauts.
Crémer et assaisonner.
Poêler dans de l'huile d'olive les carottes, navets, trompettes de la mort, salsifis, châtaignes et graines de courge. En fin de cuisson, rajouter les haricots verts et assaisonner (ne pas trop saler).
Sur une grande assiette, déposer une bonne cuillère de purée d'artichauts et poser dessus les légumes poêlés en dôme. Ajouter une pincée de sel de Maldon et décorer avec deux feuilles d'endive et des brins de ciboulette.
Ajouter une lamelle de parmesan et un filet d'huile d'olive.
Faire cuire les perles du Japon dans le bouillon de volaille et servir avec les légumes.

Gigot d'agneau rôti, gratin dauphinois

POUR 6 PERSONNES

Le gigot d'agneau
1 gigot d'agneau de 2 kg
1 oignon, 2 gousses d'ail, thym et laurier
1/2 verre de vin blanc et 1 verre d'eau
Gros sel, poivre, huile et beurre

Le gratin dauphinois
1,6 kg de pommes de terre
Crème liquide et crème épaisse
Gros sel, poivre, noix de muscade, ail
Gruyère râpé

Placer le gigot dans un plat sabot avec le gros sel (20 g), le poivre (2 g), l'huile (5 cl) et le beurre (100 g).
Mettre le plat au four à 180 °C pendant 45 mn, laisser reposer 15 mn après cuisson.
Au trois quarts de la cuisson, ajouter l'oignon, les gousses d'ail coupées en gros dés, le thym et le laurier.
Retirer le gigot cuit.
Pour faire le jus, sortir le gigot du plat, déglacer avec 1/2 verre de vin blanc et 1 verre d'eau.
Laisser ensuite réduire et passer le tout dans un petit chinois.
Laver, éplucher et couper les pommes de terre en tranches. Les disposer dans un plat à gratin.
Dans une casserole, faire bouillir la crème (75 cl de crème liquide, 50 cl de crème épaisse) avec le gros sel (20 g), le poivre (5 g), de la noix de muscade râpée et deux gousses d'ail.
Verser la crème sur les pommes de terre.
Recouvrir le plat d'une feuille de papier d'aluminium et mettre au four à 160 °C pendant 1 h 30.
Vérifier l'assaisonnement à la cuisson.
Après cuisson, retirer le gratin du plat de cuisson, le transvaser dans un plat sabot allant au four, parsemer le gratin de gruyère râpé (150 g), et mettre au four à 180 °C jusqu'à coloration (environ 10 à 15 mn).

DAVID

Vacherin contemporain Train Bleu

POUR 6 PERSONNES

Sorbet passion, glace cottage cheese (ou mascarpone), 6 sablés

Meringue
100 g de blancs d'œufs (3 blancs)
95 g de sucre semoule, 95 g de sucre glace tamisé

Coulis de mangue
200 g de mangue
50 g de jus de fruits de la passion, 80 g de sucre glace

Chantilly
1 l de crème fleurette à 35 % de matière grasse
50 g de sucre semoule, Vanille liquide

Réaliser une meringue la veille. Monter au fouet électrique les blancs en neige et le sucre semoule, ajouter le sucre glace à l'écumoire.
Coucher la préparation sur une plaque de cuisson avec du papier sulfurisé.
Sur une autre plaque, coucher six boules et six bâtonnets de meringue.
Préchauffer le four à 130 °C, puis rentrer les meringues et baisser le four à 90 °C.
Au bout de 30 mn, retirer les boules et laisser les bâtonnets de meringue au four pendant 1 h 30 supplémentaire.
Conserver les boules au congélateur.
Placer des coupes de verre au congélateur. Lorsqu'elles sont bien froides, réaliser le coulis. Mixer ensemble tous les éléments et napper les bords du verre avec ce coulis.
Déposer ensuite une belle boule de sorbet passion et une belle boule de glace cottage cheese ou, à défaut, une boule de glace mascarpone.
Émietter un sablé par coupe (type Petit Lu).
Garder au congélateur.
Préparer la chantilly. Mélanger la crème avec le sucre et quelques gouttes de vanille liquide. Mettre dans un siphon et gazer deux fois.
Au moment de servir, siphonner la chantilly en belle rosace, napper d'une cuillère de coulis, saupoudrer de sucre pétillant, poser une boule moelleuse de meringue et un bâton de meringue sur le dessus.
Tous les ingrédients d'un vacherin classique sont réunis, glace, meringue, chantilly, coulis, mais ce dessert est moins sucré, plus léger et plus ludique qu'ordinairement.

Le Train Bleu

Brasserie
9
LIPP

Index des recettes

Entrées

Plats

Desserts

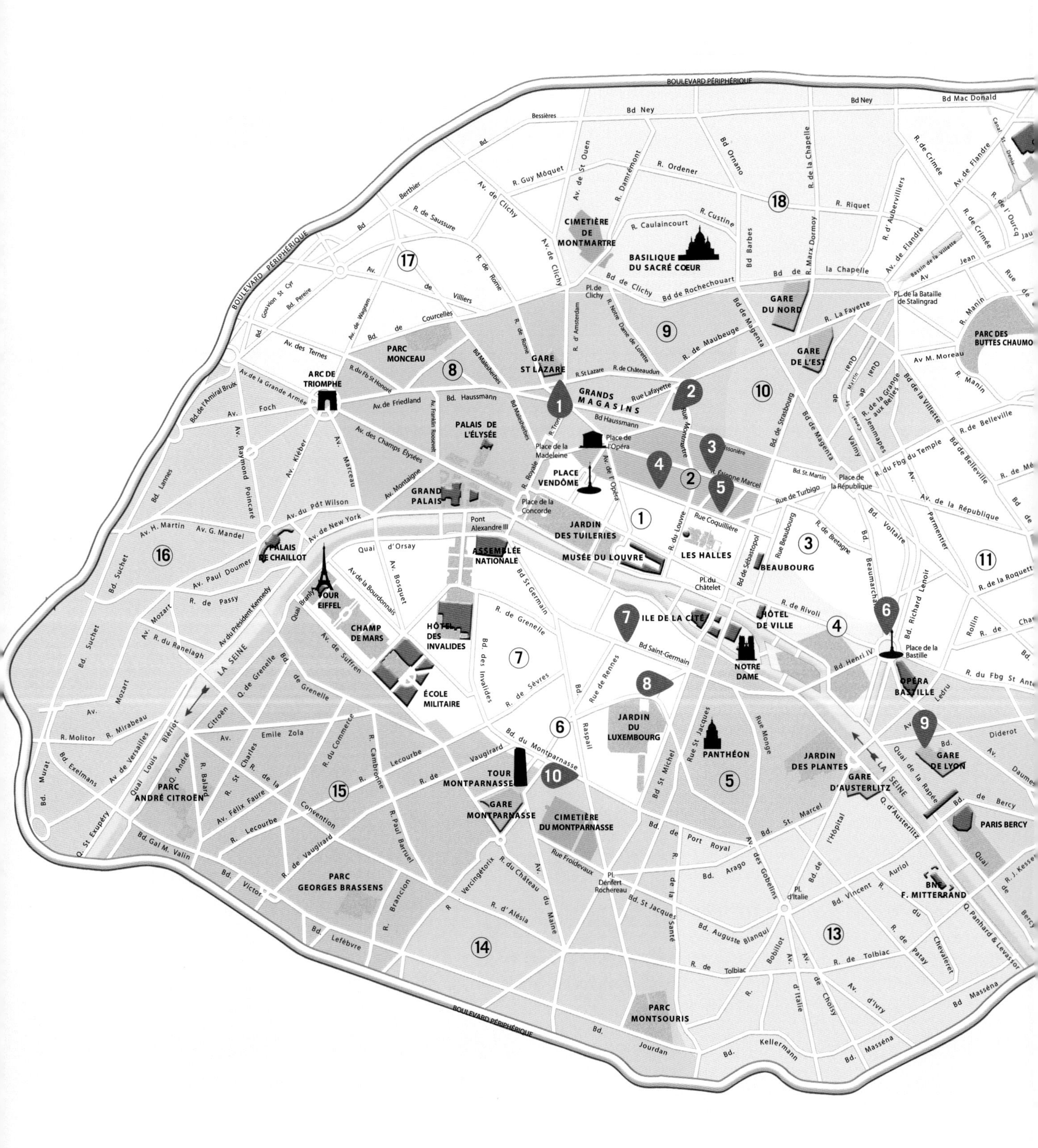

BOULEVARD PÉRIPHÉRIQUE
Bd Ney
Bd Mac Donald
Bessières
Bd. Berthier
R. Guy Môquet
Av. de St Ouen
R. Damrémont
R. Ordener
Bd Ornano
R. de la Chapelle
R. de Crimée
Av. de Flandre
R. Riquet
R. Custine
R. Caulaincourt
CIMETIÈRE DE MONTMARTRE
BASILIQUE DU SACRÉ CŒUR
Av. de Clichy
R. de Saussure
R. de Rome
Bd Barbès
R. Marx Dormoy
R. d'Aubervilliers
Bd de la Chapelle
Bd de Clichy
Pl. de Clichy
Bd de Rochechouart
GARE DU NORD
PL. de la Bataille de Stalingrad
Av. de Villiers
Bd. de Courcelles
Av. de Wagram
Gouvion St Cyr
Bd. Pereire
Av. des Ternes
PARC MONCEAU
R. d'Amsterdam
R. Notre Dame de Lorette
R. de Maubeuge
Bd de Magenta
R. La Fayette
PARC DES BUTTES CHAUMONT
Av M. Moreau
R. Manin
Bd Malesherbes
GARE ST LAZARE
R. St Lazare
R. de Châteaudun
GARE DE L'EST
Quai de Valmy
ARC DE TRIOMPHE
Av. de la Grande Armée
Bd. de l'Amiral Bruix
Av. Foch
R. du Fb St Honoré
Av. de Friedland
Bd. Haussmann
GRANDS MAGASINS
Rue Lafayette
Bd de Strasbourg
R. de la Grange aux Belles
Bd de la Villette
R. de Belleville
PALAIS DE L'ÉLYSÉE
Av. Franklin Roosevelt
Av. des Champs Élysées
Av. Kléber
Av. Marceau
Av. Raymond Poincaré
Bd. Lannes
Place de la Madeleine
Place de l'Opéra
Av. de l'Opéra
Rue Montmartre
R. Poissonnière
R. Étienne Marcel
Bd. St. Martin
Place de la République
R. du Fbg du Temple
Rue de Turbigo
PLACE VENDÔME
R. Royale
Av. Montaigne
GRAND PALAIS
Place de la Concorde
Av. du Pdt Wilson
Av. de New York
Av. H. Martin
Av. G. Mandel
Pont Alexandre III
JARDIN DES TUILERIES
R. du Louvre
Rue Coquillière
Rue Beaubourg
R. de Bretagne
Bd. Voltaire
Av. de la République
Av. Parmentier
PALAIS DE CHAILLOT
Quai d'Orsay
ASSEMBLÉE NATIONALE
MUSÉE DU LOUVRE
LES HALLES
BEAUBOURG
Bd de Sébastopol
Bd. Beaumarchais
Bd. Richard Lenoir
R. de la Roquette
Bd. Suchet
Av. Paul Doumer
R. de Passy
Av. Bosquet
Av. de la Bourdonnais
TOUR EIFFEL
Quai Branly
Av. du Président Kennedy
Bd St Germain
Pl. du Châtelet
R. de Rivoli
R. de Grenelle
ILE DE LA CITÉ
HÔTEL DE VILLE
Av. Mozart
R. du Ranelagh
CHAMP DE MARS
HÔTEL DES INVALIDES
Bd. des Invalides
Bd Saint-Germain
NOTRE DAME
Bd. Henri IV
Place de la Bastille
R. du Fbg St Antoine
LA SEINE
Q. de Grenelle
Bd. de Grenelle
Av. de Suffren
ÉCOLE MILITAIRE
R. de Sèvres
Rue de Rennes
Bd. Raspail
JARDIN DU LUXEMBOURG
OPÉRA BASTILLE
Av. Ledru
R. Mirabeau
R. Molitor
Av. de Versailles
Quai Louis Blériot
Citroën
Av. Emile Zola
R. du Commerce
R. Cambronne
R. Lecourbe
R. de Vaugirard
Bd. du Montparnasse
Bd St Michel
Rue St Jacques
PANTHÉON
Rue Monge
JARDIN DES PLANTES
GARE D'AUSTERLITZ
Quai de la Rapée
GARE DE LYON
Bd. Diderot
Av. Daumesnil
Bd. Exelmans
Bd. Murat
PARC ANDRÉ CITROËN
R. Balard
R. St Charles
Av. Félix Faure
R. de la Convention
TOUR MONTPARNASSE
GARE MONTPARNASSE
CIMETIÈRE DU MONTPARNASSE
R. Paul Barruel
Bd. de Port Royal
Bd. St. Marcel
R. de l'Hôpital
Q. d'Austerlitz
R. de Bercy
PARIS BERCY
Q. St. Exupéry
Bd. Gal M. Valin
Bd. Victor
PARC GEORGES BRASSENS
R. Brancion
R. Vercingétorix
R. du Château
Av. du Maine
R. Froidevaux
Pl. Denfert Rochereau
Bd. Arago
Av. des Gobelins
Pl. d'Italie
Bd. Vincent Auriol
BNF F. MITTERRAND
Quai
R. J. Kessel
R. d'Alésia
Bd. St Jacques
R. de la Santé
Bd. Auguste Blanqui
Bd. Lefebvre
R. de Tolbiac
R. Bobillot
Av. d'Italie
Av. de Choisy
Av. d'Ivry
R. du Chevaleret
R. de Patay
Q. Panhard & Levassor
Bd Masséna
PARC MONTSOURIS
Bd. Jourdan
Bd. Kellermann
Bd. Masséna

❶ MOLLARD

115, rue Saint-Lazard
75008 Paris.
Tél. : 01 43 87 50 22.
Métro : Saint-Lazard
www.mollard.fr

❷ AU PETIT RICHE

25, rue Le Peletier
75009 Paris.
Tél. : 01 47 70 68 68.
Métro : Richelieu-Drouot
www.aupetitriche.com

❸ GALLOPIN

40, rue Notre-Dame-des-Victoires
75002 Paris.
Tél. : 01 42 36 45 38.
Métro : Bourse
www.brasseriegallopin.com

❹ LE GRAND COLBERT

2, rue Vivienne
75002 Paris.
Tél. : 01 42 86 87 88.
Métro : Bourse
www.legrandcolbert.fr

❺ AU PIED DE COCHON

6, rue Coquillière
75001 Paris.
Tél. : 01 40 13 77 00.
Métro : Les Halles
www.pieddecochon.com

❻ BOFINGER

3, rue de la Bastille
75004 Paris.
Tél. : 01 42 72 97 33.
Métro : Bastille
www.bofingerparis.com

❼ BRASSERIE LIPP

151, boulevard Saint-Germain
75006 Paris.
Tél. : 01 45 48 53 91.
Métro : Saint-Germain-des-Prés
www.groupe-bertrand.com/lipp

❽ POLIDOR

41, rue Monsieur-Le-Prince
75006 Paris.
Tél. : 01 43 26 95 34.
Métro : Odéon
www.polidor.com

❾ LE TRAIN BLEU

20, boulevard Diderot
75012 Paris.
Tél. : 01 43 43 09 06.
Métro : Gare de Lyon
www.le-train-bleu.com

❿ LA COUPOLE

102, boulevard du Montparnasse
75014 Paris.
Tél. : 01 43 20 14 20.
Métro : Vavin
www.lacoupoleparis.com

D'AUTRES BRASSERIES HISTORIQUES DE PARIS...

L'Escargot Montorgueil
38, rue Montorgueil,
75001 Paris.
Tél. : 01 42 36 83 51.
www.escargot-montorgueil.com

Aux Lyonnais
32, rue Saint-Marc,
75002 Paris.
Tél. : 01 42 96 65 04.
www.auxlyonnais.com

Le Vaudeville
29, rue Vivienne,
75002 Paris.
Tél. : 01 40 20 04 62.
www.vaudevilleparis.com

Chez Jenny
39, boulevard du Temple,
75003 Paris.
Tél. : 01 44 54 39 00.
www.chez-jenny.com

Benoît
20, rue Saint-Martin,
75004 Paris.
Tél. : 01 42 72 25 76.

Brasserie Balzar
49, rue des Écoles,
75005 Paris.
Tél. : 01 43 54 13 67.
www.brasseriebalzar.com

Bouillon Racine
3, rue Racine,
75006 Paris.
Tél. : 01 44 32 15 60.
www.bouillon-racine.com

La Closerie des Lilas
171, boulevard du Montparnasse,
75006 Paris.
Tél. : 01 40 51 34 50.
www.closeriedeslilas.fr

Le Montparnasse 1900
59, boulevard du Montparnasse,
75006 Paris.
Tél. : 01 45 49 19 00.

Vagenende
142, boulevard Saint-Germain,
75006 Paris.
Tél. : 01 43 26 68 18.
www.vagenende.fr

Toumieux
79, rue Saint-Dominique,
75007 Paris.
Tél. : 01 47 05 49 75.
www.thoumieux.com

Le Bœuf sur le Toit
34, rue du Colisée,
75008 Paris.
Tél. : 01 53 93 65 55.
www.boeufsurletoit.com

La Lorraine
2, place des Ternes,
75008 Paris.
Tél. : 01 56 21 22 00.
www.brasserielalorraine.com

Le Café de la Paix
2, rue Scribe,
75009 Paris.
Tél. : 01 40 07 36 36.
www.cafedelapaix.fr

Charlot, roi des coquillages
81, boulevard de Clichy,
75009 Paris.
Tél. : 01 53 20 48 00.
www.charlot-paris.com

Chartier
7, rue du Faubourg-Montmartre,
75009 Paris.
Tél. : 01 47 70 86 29.
www.restaurant-chartier.com

Le Grand Café
4, boulevard des Capucines,
75009 Paris.
Tél. : 01 43 12 19 00.
www.legrandcafe.com

Julien
16, rue du Faubourg-Saint-Denis,
75010 Paris.
Tél. : 01 47 70 12 06.
www.julienparis.com

Terminus Nord
23, rue de Dunkerque,
75010 Paris.
Tél. : 01 42 85 05 15.
www.terminusnord.com

Le Dôme
108, boulevard du Montparnasse,
75014 Paris.
Tél. : 01 43 35 25 81.

Au Bœuf couronné
188, avenue Jean-Jaurès,
75019 Paris.
Tél. : 01 42 39 44 44.